HET REUZENRADMYSTERIE

SIOBHAN DOWD

HET REUZENRADMYSTERIE

UIT HET ENGELS VERTAALD
DOOR TJALLING BOS

Van Goor

De vertaler ontving voor deze vertaling een werkbeurs van de Stichting Fonds voor de
Letteren

Voor Donal

**Deze uitgave kwam mede tot stand dankzij een subsidie van
Ireland Literature Exchange, Dublin, Ierland
www.irelandliterature.com | info@irelandliterature.com**

ISBN 978 90 475 0923 3
NUR 283
© 2010 Uitgeverij Van Goor
Unieboek BV, postbus 97, 3990 DB Houten
Published by arrangement with Random House Children's Books, one part of The
Random House Group Ltd

oorspronkelijke titel *The London Eye Mystery*
oorspronkelijke uitgave © 2007 The Random House Group, Londen

www.van-goor.nl
www.unieboek.nl

tekst Siobhan Dowd
vertaling Tjalling Bos
omslagillustratie © David Dean
omslagontwerp Marieke Oele
zetwerk binnenwerk Mat-Zet BV, Soest

1

Een reusachtig fietswiel in de lucht

Het liefst maak ik in Londen een rondje in het reuzenrad. Bij mooi weer kun je veertig kilometer om je heen kijken, want het London Eye is het grootste reuzenrad dat ooit is gebouwd. Je wordt samen met de onbekenden die naast je stonden in de rij, opgesloten in een van de tweeëndertig cabines, en als ze de deuren dichtdoen, hoor je de stadsgeluiden niet meer. Je begint omhoog te gaan. De capsules zijn gemaakt van glas en staal en hangen aan de rand van het rad. Terwijl het rad draait, blijven de capsules rechtop door de zwaartekracht. Eén keer in het rond duurt dertig minuten.

Als je helemaal boven bent, lijkt Londen volgens Kat op een speelgoedstad, en de auto's op de wegen lijken volgens haar op kralen van een telraam die heen en weer gaan en stoppen en starten. Ik vind dat Londen op Londen lijkt, en dat de auto's op auto's lijken, alleen kleiner.

Het fijnste om van daarboven te zien, is de rivier de Theems. Je kunt zien dat hij lussen en bochten maakt, maar als je op de grond bent denk je dat hij recht is.

Het op een na fijnste om naar te kijken, zijn de spaken en metalen kabels van het Eye zelf. Er is op de hele aarde maar één reuzenrad dat zo is gebouwd. Het is ontworpen als een reusachtig fietswiel in de lucht, dat wordt gesteund door zware poten.

Het is ook interessant om naar de cabines naast die van jezelf te kijken. Je ziet onbekenden naar buiten kijken, net als jij doet. De cabine die hoger is dan de jouwe wordt halverwege lager dan de jouwe, en de cabine die lager is wordt hoger. Je moet je ogen dichtdoen, want je krijgt er een raar gevoel door dat omhoogkomt in je slokdarm. Je bent blij dat het rad kalm en langzaam beweegt.

En dan gaat de cabine omlaag en dat vind je jammer omdat je niet wilt dat er een eind komt aan de rit. Je zou graag nog een keer in het rond willen gaan, maar dat mag niet. Dus stap je uit, en je voelt je net een astronaut die uit de ruimte komt, een beetje lichter dan eerst.

We gingen met Salim naar het Eye omdat hij er nog nooit in was geweest. Toen we in de rij stonden, kwam er een onbekende naar ons toe die ons een gratis kaartje aanbood. We namen het aan en gaven het aan Salim. Dat hadden we niet mogen doen, maar we deden het. Hij ging in zijn eentje omhoog, om 11.32 uur op 24 mei, en hij zou om 12.02 uur op dezelfde dag weer omlaagkomen. Toen hij instapte, draaide hij zich om en zwaaide naar Kat en mij, maar ik kon zijn gezicht niet zien, alleen zijn schim. Ze sloten hem op met twintig andere mensen, die we niet kenden.

Kat en ik volgden Salims cabine in zijn baan. Toen hij op het hoogste punt was, zeiden we allebei tegelijk: 'Nu!' Kat lachte en ik deed mee. Daarom wisten we dat we de goede cabine hadden gevolgd. We zagen de mensen bij elkaar gaan staan toen de cabine weer omlaagkwam, met hun gezicht naar het noordoosten voor de automatische camera die een foto maakte. Maar ze waren alleen donkere stukjes van jassen, broeken, jurken en mouwen.

Toen stopte de cabine onderaan. De deuren gingen open en de passagiers kwamen er in groepjes van twee of drie uit. Ze liepen in verschillende richtingen weg, met een glimlach op hun gezicht. Waarschijnlijk zouden ze elkaar nooit meer tegenkomen.

Maar Salim was er niet bij.

We wachtten op de volgende cabine en de daaropvolgende en die daarna. Maar hij kwam niet. Tijdens die dertig minuten in het reuzenrad, in zijn afgesloten cabine, was hij op een of andere manier in het niets verdwenen. Dat ik hersenen heb die anders werken dan die van de meeste mensen, hielp me om te ontdekken wat er was gebeurd. Ik zal vertellen hoe.

2

Stormwaarschuwing

Het begon op de dag dat we een brief kregen van tante Gloria.

Tante Gloria is mama's zus. Mama noemt haar Glo en Kat noemt haar tante Glo. Papa noemt haar Orkaan Gloria omdat ze volgens hem een spoor van verwoesting achterlaat. Ik vroeg hem wat dit betekende. Bedoelde hij dat ze onhandig is, zoals ik? Hij zei dat het geen dingen waren die ze omvergooide. Dat zou niet zo erg zijn. Maar het waren vooral mensen en emoties. Ik vroeg of ze slecht was. En papa zei dat ze het niet met opzet deed. Dus was ze niet slecht, maar ze was wel een lastpak. Ik vroeg hem wat het betekende dat ze een lastpak was, en hij zei dat ze te veel van het goede was. Toen ik hem wilde vragen wat te veel van het goede betekende, legde hij zijn hand op mijn schouder. 'Nu niet, Ted,' zei hij.

De ochtend waarop de brief van tante Gloria kwam, was een gewone ochtend. Ik hoorde de post zoals altijd op de mat vallen. Ik at mijn derde Shreddie en luisterde op de radio naar het weerbericht. Het zou mooi weer blijven, met een kans op buien in het zuidoosten. Kat stond kronkelend een geroosterde boterham te eten. Ze had geen vlooien, al leek het daar wel op. Ze luisterde naar die rare muziek van haar, met haar koptelefoon. Dat betekende dat ze het weerbericht niet hoorde en geen regenjas zou aantrekken en haar paraplu niet zou meenemen naar school. Dus zou zij nat worden en ik niet en dat was fijn.

Papa hinkte rond op één sok en klaagde dat de wasmachine al zijn sokken had verslonden en dat hij al laat was. Mama zocht in de wasmand of ze er daar één kon vinden.

'Ted, pak jij de post eens,' zei mama. Ze had haar verpleegstersuniform aan en zelfs ik weet dat je maar beter kunt doen wat ze zegt, als ze zo kortaf klinkt. Maar ik vind het vreselijk om mijn Shreddies papperig te laten worden.

Ik kwam terug met zes enveloppen. Kat zag me en graaide ze uit mijn handen en viste er een grote bruine envelop en een kleine witte uit. Ik zag het logo van onze school op de witte. Het is een soort samengedrukte x met de hoed van een bisschop erboven – die wordt een mijter genoemd. Kat probeerde hem te verstoppen onder de grote bruine envelop, maar mama zag het.

'Geef hier, Katrina,' zei mama. Als mama Kat Katrina noemt, weet je dat het fout gaat.

Kat perste haar lippen op elkaar. Ze gaf alle post aan mama, behalve de bruine envelop, die ze omhoog hield zodat iedereen kon zien dat hij geadresseerd was aan haarzelf, Katrina Spark. Ze maakte hem open en er kwam een kappersblad uit. *Hair Flair* heette het. Kat liep naar de deur, terwijl ze met haar hoofd knikte op de maat van haar muziek.

Ik at Shreddie nummer zeven tot zeventien.

Papa begon de muziek van *De Dikke en de Dunne* te neuriën. Daar kijkt hij het liefste naar op tv. Hij had nu ook zijn andere sok aan en smeerde boter op zijn geroosterde boterham. Zijn haar stond overeind en mama zou gezegd hebben dat hij als twee druppels water op Stan Laurel leek. Dat betekent dat hij er precies zo uitzag, maar vraag mij niet waarom. Stan heeft trouwens bruin haar en papa's haar is blond, net als dat van mij. Dus ziet hij er niet precies zo uit als Stan.

'Katrina!' schreeuwde mama.

De achttiende Shreddie viel van mijn lepel.

'Ja, wat?'

'Die brief van je school...'

'Welke brief van mijn school?'

'Deze brief. Die je probeerde te verstoppen.'

'Wat is daarmee?'

'Ze zeggen dat je er vorige week niet was, zonder ziekenbriefje. Afgelopen dinsdag.'

'O, ja.'

'Nou?'

'Wat nou?'

'Waar was je?'

'Ze was zonder toestemming absent, mama,' merkte ik op. Kat en mama staarden me aan. 'Zo noemen ze dat in het leger,' legde ik uit.

'Hou je bek, engerd,' siste Kat. Ze liep de keuken uit en sloeg de deur met een klap achter zich dicht.

'Ze begint te ontsporen, Ben,' zei mama tegen papa.

'Ontsporen,' herhaalde ik terwijl ik aan treinongelukken dacht. Ik neem aan dat mama iets zei over Katrina's absentie. Misschien betekende 'ontsporen' hetzelfde als verzuimen. Dat is niet naar school gaan als het wel zou moeten. Maar ik durfde het niet te vragen, nu mama in die stemming was.

'Ze ontspoort en het kan niemand wat schelen,' zei ze.

'Ik spijbelde ook toen ik zo oud was als zij,' zei papa. 'Dan reed ik de hele dag in de bus en rookte sjekkies in het park.' Mijn twintigste Shreddie schoot bijna in het verkeerde keelgat. Ik kon me papa niet voorstellen met een sigaret in zijn hand. Hij rookt helemaal niet meer. Papa raakte mama's schouder aan en toen ze naar hem opkeek, zoende hij haar midden op haar voorhoofd. Het maakte een raar zuigend geluid waardoor ik bijna geen zin meer had in mijn laatste Shreddies. 'Zullen we het er vanavond over hebben, Faith? Ik moet ervandoor. Er is een vergadering over het opblazen van de Barak.'

Mama's mondhoeken gingen een klein stukje omhoog. 'Oké, schat. Vanavond.'

Ik moet even uitleggen dat papa geen terrorist is die gebouwen opblaast waar soldaten wonen. Hij is sloopdeskundige en 'de Barak' is de bijnaam van Barrington Heights, het hoogste flatgebouw in onze wijk in Zuid-Londen. Vroeger woonden daar mensen die door de maatschappij waren buitengesloten. Dat is net zoiets als van school gestuurd worden. Maar in plaats van de directeur die zegt dat je weg moet, doet de rest van de mensen alsof je niet bestaat. Daardoor kom je terecht bij alle anderen die genegeerd worden. Je wordt woedend omdat de maatschappij je zo behandelt, en neemt wraak door drugs te gebruiken, winkeldiefstallen te plegen en bendes te vormen. De mensen in Barrington Heights deden al dat soort dingen. Maar volgens papa lag het niet aan de mensen zelf. Hij zegt dat het gebouw ziek was en hen ook ziek maakte, als een soort virus. Daarom hebben hij en de gemeente besloten hen naar nieuwe woningen te laten verhuizen, het gebouw op te blazen en opnieuw te beginnen.

Papa trok zijn jasje aan. Hij zei: 'Dag, Ted' tegen mij en ging naar buiten. Mama ging weer zitten en keek de rest van de post door. De laatste envelop was bleeklila. Ik zag dat ze hem bij haar neus hield en eraan snoof, alsof hij eetbaar was. Toen glimlachte ze. Haar mondhoeken gingen helemaal omhoog, maar haar ogen werden vochtig. Dit betekende dat ze tegelijk verdrietig en blij was.

'Lieve hemel!' zei ze zacht. Ze maakte de envelop open en las de brief. Ik at mijn laatste drie Shreddies, nummer vijfendertig tot zevenendertig. Ze legde het lila papier neer en streek door mijn haar zodat het in de war raakte. Als ze dat doet, fladdert mijn hand altijd.

'Hou je vast, Ted,' zei ze. 'Er komt een orkaan aan.'

'Nee hoor,' zei ik. 'We krijgen een groot hogedrukgebied.' Ik ben meteoroloog. Dat word ik in elk geval als ik groot ben. Dus weet ik het. Orkanen vlakken af halverwege de Atlantische Oceaan. Ze halen Groot-Brittannië bijna nooit. Zelfs die van 1987 was eigenlijk geen echte orkaan. De weerman Michael Fish, die zei dat het geen orkaan zou worden, had gelijk. Het was alleen een zeer zware storm, zonder naam. Een echte orkaan krijgt altijd een naam. Zoals Hannah, die in 1957 bij vlagen meer dan 250 kilometer per uur bereikte, of Hugo, die in 1989 de helft van South Carolina in de VS platgooide. Of Orkaan Katrina, een storm uit klasse vijf die in 2005 New Orleans verwoestte. (Het is vast geen toeval dat een van de meest rampzalige stormen uit de geschiedenis dezelfde naam heeft als mijn zus.)

'Ik bedoel het niet letterlijk,' zei mama, terwijl ze de lege kom van mijn Shreddies voor mijn neus weggriste. 'Orkaan Gloria komt hierheen. Mijn zus. Weet je nog? Ze komt op bezoek, samen met haar zoon Salim.'

'Die in Manchester wonen?'

'Precies. We hebben ze al meer dan vijf jaar niet gezien, Ted. Waar is de tijd gebleven?'

Het klonk alsof ze dacht dat de tijd iets was wat kwam en ging, zoals het weer. Ik schudde mijn hoofd. 'Nee, mama,' legde ik uit. 'De tijd gaat nergens heen.'

'Hier in huis wel, Ted. Hij verdwijnt in een zwart gat, verdomme.'

Ik keek haar met knipperende ogen aan en vroeg me af of ze gelijk kon hebben. Ze lachte en zei dat ze een grapje maakte, terwijl ze weer door mijn haar streek. 'Vooruit, Ted. Naar school.'

Dus liep ik mijn zigzagroute door het park en dacht na over de tijd, zwarte gaten, Einsteins relativiteitstheorie en stormwaarschuwingen. Ik stelde me voor dat Orkaan Gloria in kracht toenam terwijl ze dichterbij kwam en een spoor van verwoesting achterliet. Mijn gedachten waren zo interessant dat ik bijna de vijver inliep aan de verkeerde kant van het park en maar net op tijd op school was. 'In een zwart gat,' zei ik tegen mezelf terwijl ik over het schoolplein rende. Mijn hand fladderde. 'In een zwart gat, verdomme.'

3

De orkaan komt dichterbij

's Avonds las mama de brief van tante Gloria voor. Ik heb ernaar gezocht om hem letterlijk te citeren, maar mama zei dat ze hem waarschijnlijk weggegooid had, omdat ons huis te klein is om van alles te bewaren. Volgens mij ging het ongeveer zo:

Beste Faith (dat is mama),
Ik wil het goedmaken. Het spijt me dat we ruzie hadden de laatste keer dat ik bij jullie was. Salim en ik gaan naar New York verhuizen. Ze hebben me daar een baan aangeboden in een museum voor moderne kunst. Mogen we in de meivakantie een of twee nachten bij jullie logeren op weg naar het vliegveld? Ik weet dat jullie huis niet groot is, maar we vinden wel een plekje. Salim zegt dat hij op de strijkplank kan slapen.

Maar Kat heeft me net verteld dat dit niet tante Gloria's stijl is. Tante Gloria gebruikt veel meer woorden, zegt ze. Volgens Kat legt ze het er dik op. Ik weet niet zeker wat dat betekent. Kat heeft voor me opgeschreven wat ze zich van de brief herinnert. Dit is haar versie:

Allerliefste Faith, schatje van me,
Het spijt me zo dat we elkaar niet vaker hebben gezien. Het leven is zo vreselijk druk geweest en de jaren zijn voorbijgevlo-

gen als zwaluwen in de lucht. Ik vind het afschuwelijk dat we
vorige keer ruzie hebben gemaakt. Het knaagt aan mijn ziel. Ik
kan me nauwelijks meer herinneren waarover het ging, maar
ik lag toen totaal aan flarden, omdat het net uit was met
Salims vader en ik Transcendente Meditatie nog niet had ont-
dekt. Nu ben ik veel kalmer.

Ik heb opwindend nieuws. Ze hebben me een absolute top-
baan aangeboden in een museum in New York. Geweldig hè?
Salim en ik hebben besloten om het te doen. Salim is nu dertien
en heel volwassen. Hij vindt het hier op school niet fijn. Hij
heeft maar één vriend, die net als hij half Aziatisch is, en ze
worden door de andere jongens gepest. Dus gaan wij naar Ame-
rika, een groots en spannend avontuur op onze fascinerende
reis door het leven. Kunnen we onderweg bij jullie langskomen?
Voor een of twee nachten, lieverd? Ik weet dat je huis niet groot
is, maar Salim wil zijn neef en nicht dolgraag weer eens zien.
Hij zegt dat hij op de strijkplank kan slapen!

Het enige wat Kat en ik ons allebei herinneren, is dus dat van
die strijkplank.

Toen mama de brief had voorgelezen, kreunde papa en verborg zijn hoofd in zijn handen. Kat zei dat tante Glo klonk alsof
ze niet goed bij haar hoofd was, en ik zei dat Salim erg klein
moest zijn als hij dacht dat hij op een strijkplank kon slapen.
Kat en papa en mama lachten. Mijn hand begon te fladderen en
er kwam een akelig gevoel omhoog in mijn slokdarm. Ik was
weer eens betrapt. Net als toen een nieuwslezer had gezegd dat
een ster van Manchester United voor twaalf miljoen pond aan
een andere club was verkocht en ik had gevraagd waarom voetballers nog steeds slaven waren, terwijl de slavernij toch allang
was afgeschaft.

Toen ze allemaal klaar waren met lachen, vroeg papa of we ja moesten zeggen, en mama zei dat het moest. Kat vroeg waar iedereen dan zou slapen. Mama antwoordde dat tante Gloria Kats kamer kreeg, en Kat zei vergeet het. Mama zei dat Kat het gewoon moest slikken en dat het haar verdiende loon was omdat ze had gespijbeld. Een meisje dat spijbelt, heeft niet het recht om drukte te maken als ze een paar nachten op de bank moet slapen.

Kat sloeg haar armen over elkaar en zoog haar lippen naar binnen.

'En Salim dan?' vroeg ik, terwijl ik naar de strijkplank keek, die tegen de muur van de keuken stond.

'Die slaapt bij jou, Ted. We kunnen het luchtbed opblazen.'

Ik keek naar Kat. Ik kon aan haar gezicht zien dat ze boos was. Ik was niet boos, maar ik begon pijn in mijn maag te krijgen bij het idee dat een onbekende jongen 's nachts bij me in de kamer zou komen en dat ik hem zou horen ademen als de lamp uit was en dat hij me zou zien als ik mijn pyjama aantrok en dat ik 's avonds laat niet naar het weerbericht voor de scheepvaart zou kunnen luisteren, wat ik altijd doe als ik niet in slaap kan komen.

'Uh-huh-huh,' zei ik terwijl mijn hand fladderde.

'Zo is dat,' zei Kat. 'Uh-huh-huh-verdomme.'

'Jullie krijgen vast weer ruzie,' zei papa tegen mama. Hij klonk als een weerman die zware storm voorspelt. Ik heb het juiste woord ervoor opgezocht in het woordenboek. Het is 'jolig'.

'Nee hoor,' zei mama. 'Dat laat ik niet gebeuren. Deze keer niet. Ik haal gewoon diep adem als ze iets akeligs zegt, en mediteer met mijn geestesoog over de vorm van een theepot. En als zij dat ook doet, kunnen we best met elkaar opschieten.'

Ik probeerde met mijn geestesoog over een theepot te mediteren. Maar het enige wat ik zag, was heet water dat uit de tuit stroomde en als een kokendhete tsunami recht op me afkwam. Zo voelde ik me door de gedachte aan tante Gloria die bij ons kwam en Salim die op mijn kamer zou slapen. Ik had nog liever een echte orkaan gehad.

4

De orkaan bereikt het land

Tante Gloria en Salim kwamen om 6.24 uur 's avonds op zondag 23 mei, aan het begin van onze meivakantie van één week. Het was een mooie dag met verspreide buien die zich naar het noordoosten verplaatsten. Kat en ik zagen een zwarte Londense taxi voor ons huis stoppen. Tante Gloria stapte als eerste uit. Ze was lang en mager, met steil zwart haar tot op haar schouders. (Kat zegt dat zo'n kapsel een bob heet.) Ze droeg een strakke spijkerbroek en donkerroze sandalen. Het was onmogelijk om niet haar grote tenen te zien die uitstaken uit het voorste gat, want de nagels waren in dezelfde kleur donkerroze gelakt en waren heel fel. Maar wat mij het meest opviel was het sigarettenpijpje dat ze in haar hand hield. Er zat een lange, dunne sigaret in, die brandde. Er kringelde rook omhoog.

Kat zei dat tante Gloria eruitzag als een moderedactrice. Kat heeft nog nooit een moderedactrice ontmoet, dus ik weet niet hoe ze dat wist.

Salim was net als zijn moeder lang en mager en droeg ook een spijkerbroek. Hij had een heel gewone rugzak op zijn rug en trok de koffer van tante Gloria op wieltjes achter zich aan. Zijn zwarte haar was kort geknipt. Zijn huid was bruin. Kat zegt dat die niet gewoon bruin is, maar karamel. Ze zegt dat ik moet zeggen dat hij er heel goed uitziet. Ze is er in gedachten altijd mee bezig of mensen er goed uitzien. Volgens mij zien mensen eruit zoals ze eruitzien. Ik zal wel lelijk zijn, want er heeft nog nooit iemand gezegd dat ik er knap uitzie. De mensen zeggen altijd dat Kat mooi is, dus dat zal ze wel zijn. Ik vind dat ze eruitziet als Kat.

Ik weet dus niet of Salim er goed uitzag, maar het leek alsof zijn gedachten niet op dezelfde plaats waren als zijn lichaam. Dat vond ik fijn. Ik denk dat ik er ook vaak zo uitzie.

Salim en tante Gloria liepen door onze voortuin, die volgens mama zo groot is als een postzegel. In werkelijkheid is hij drie bij vijf meter en ik heb een keer uitgerekend dat er 22.500 post-zegels in passen. Toen ze bij de voordeur waren, rukte mama die open voordat ze konden aanbellen.

'Glo,' zei ze.

'Fai!' gilde tante Gloria.

Er ontstond een warboel van armen en gelach en ik wou dat ik naar mijn kamer kon gaan. Salim stond achter hen te kijken. We keken elkaar in de ogen. Toen haalde hij zijn schouders op, keek omhoog naar de lucht en schudde zijn hoofd. Daarna glimlachte hij naar me. Dat betekende dat hij en ik vrienden konden worden.

Het was een goed gevoel. Ik had maar drie andere vrienden en die waren allemaal volwassen: mama, papa en meneer Shepherd, mijn leraar op school. Ik telde Kat niet als vriend, omdat ze meest-al naar tegen me deed en me in de rede viel als ik praatte.

'Ted,' zei mama, 'zeg eens dag tegen je tante Gloria.'

Ik keek naar tante Gloria's linkeroor. 'Dag, tante Gloria.' Ik wilde haar een hand geven, maar ze trok me tegen zich aan in een omhelzing die naar sigaretten en parfum rook, zodat ik bij-na moest niesen.

'Dag, Ted,' zei ze. 'Noem me maar gewoon Glo. Dat doet iedereen.' Ik ontsnapte uit haar armen. 'Mijn god, Faith,' ging ze verder. 'Hij lijkt als twee druppels water op vader. Weet je het nog? Pa met zijn jasje en zijn stropdas, zelfs op vrije dagen? Ted lijkt sprekend op hem.'

Er viel een stilte. Het is waar dat ik mijn broek en overhemd van school elke dag draag, ook als ik niet naar school ga. Dat vind ik fijn. Kat zeurt altijd dat ik een t-shirt en een spijkerbroek moet aantrekken zodat ik er 'normaal en *chill*' uitzie. Maar daardoor wil ik juist mijn uniform dragen.

'Nee, ma,' zei Salim. 'Hij ziet er echt cool uit. Netjes is weer helemaal in, wist je dat niet?'

'Hrumm,' zei ik.

'Het is een vermomming, ma. Daarin zit een rebel verborgen – ja toch, Ted?'

Ik knikte. Het voelde goed dat hij me een rebel noemde.

'Hé, Ted, geef je me een hand?'

Terwijl ik zijn hand schudde, stonden we bijna oog in oog en ik voelde dat mijn hoofd opzij draaide. Kat noemt dat mijn eend-die-is-vergeten-hoe-hij-moet-kwaken-blik. 'Welkom in Londen, Salim,' zei ik.

Kat duwde me opzij. 'Hoi, Salim,' zei ze met uitgestoken hand. 'Wat een accent heb jij, zeg. Praat'n se allemaal so in 't noord'n?'

'Hoi, Kat,' zei Salim terwijl hij haar hand vastpakte. 'Pgate ze altèd zau in ut zuide?'

Iedereen lag dubbel van het lachen. Dat gebeurde natuurlijk niet echt, maar ik vind het een mooi beeld dat mensen dubbel liggen door grote vrolijkheid. Het is een goede manier om het te beschrijven. Ik begreep niet wat er leuk was, maar ik lachte mee. Meneer Shepherd zegt dat het een goed idee is om te lachen als anderen het doen. Dan hoor je erbij en kun je vrienden maken.

'Hoe komt het dat jij zo plat praat, terwijl Ted klinkt als een ouderwetse nieuwslezer?' vroeg Salim.

'Dat is een heel goede vraag, Salim,' zei mama. 'Zelfs Teds neuroloog heeft er geen verklaring voor. Maar kom mee naar de keuken, allemaal. Het eten is klaar.'

Mama had de keukentafel uitgetrokken tot zijn volle lengte van bijna twee meter, zodat zes mensen er makkelijk omheen konden zitten. Maar omdat ik de dunste was, moest ik me tussen het uiteinde en de terrasdeur wringen. Mama had een wit kleed over de tafel gelegd en had mij laten dekken omdat dat mijn werk was. Kat controleerde of alles goed lag, maar dat was niet nodig, want ik ben heel goed in tafel dekken. Ik stel me voor dat het mes, de lepel en de vork een elektrische stroom zijn. Het mes voedt het uiteinde van de lepel, en de voorkant van de lepel voedt de tanden van de vork, en de rand van de tafel is het laatste deel. En daartussen zit telkens een hoek van negentig graden, zodat de stroomkring een volmaakt vierkant wordt. Als je het zo doet, kan er niets misgaan.

Kat had een glazen vaas met bloemen uit de tuin op tafel gezet, en een houten plank met een berg brood. Daarna had ze onze beste limonadeglazen te voorschijn gehaald en er papieren servetjes in gevouwen zodat ze als een mijter boven het glas uitstaken – dat is het logo van onze school. En ze had wijnglazen neergezet voor papa, mama en tante Gloria. Ze had geprobeerd er ook een bij haar eigen bord te zetten, maar mama griste het weg en noemde Kat een kattenkop. Dat doet ze als ze boos is op Kat, maar niet zo heel erg.

We gingen allemaal zitten. Mama schepte kippenstoofschotel op uit een grote oranje schaal – dat vind ik erg lekker. Tante Gloria praatte aan één stuk door. Ze zei dat Salim en zij het doodgewoon heerlijk vonden om weg te gaan uit Manchester, omdat ze schoon genoeg hadden van de regen. Ik wilde opmerken dat het aantal uren met neerslag in het noorden veel lager lag dan veel mensen dachten, maar ze zei dat New York zo'n snelle stad was – het zou doodzonde zijn om er niet naartoe te gaan. Ik wist al een tijdje dat mensen soms 'dood' zeggen als ze 'heel erg' bedoelen. Dus dat hoefde ik niet te vragen, maar ik vroeg haar wel hoe een stad snel kon zijn.

'Nou, Ted,' zei ze. 'In New York beweegt alles heel snel. Net als een film die versneld wordt afgespeeld. Mensen, auto's en zelfs de metro. Ze hebben sneltreinen die langs de saaie stations flitsen. Als je daar bent, heb je het gevoel dat de tijd zelf twee keer zo snel gaat als normaal.'

'Dan word je in Manhattan ook twee keer zo snel oud, ma,' zei Salim.

Tante Gloria lachte. Ze stak een arm uit en raakte Salims schouder aan. 'Wat een grappenmaker is hij toch, die zoon van me.'

Salim staarde naar het tafelkleed en ik zag zijn lippen bewegen, maar er kwam geen geluid uit zijn mond. Toen zag hij dat ik naar hem keek, en hij draaide zijn ogen naar het plafond, tikte op zijn slaap en wees met een grijns naar tante Gloria. Kat zei later dat dit lichaamstaal was en betekende dat Salim vond dat zijn moeder gek was. Daarna haalde hij een mobieltje uit zijn zak en legde het naast zijn bord en keek er heel ernstig naar.

Mama gaf tante Gloria het brood door. Maar tante Gloria zei dat ze helemaal geen graan meer at omdat ze een glutenvrij dieet volgde.

'Mijn voedingsdeskundige zweert erbij,' zei ze.

'Tante Gloria,' zei ik terwijl ik een boterham pakte, 'zou het niet beter zijn voor uw gezondheid om op te houden met roken?' Papa kreeg een hoestbui alsof hij zich had verslikt. 'Ik heb gisteren een paar interessante cijfers gelezen. Als iedereen ophoudt met roken, besparen we op de gezondheidszorg minstens...'

'Ted!' zei mama.

Tante Gloria grinnikte. 'Nee, Fai, dat is een goede vraag van Ted. Maar weet je, Ted, het probleem is dat ik totaal verslaafd ben aan nicotine en brood best kan laten staan.' Ze keek Kat aan. 'Jij rookt toch niet, Kat?'

Kat liet haar servet in de rondte draaien. 'Natuurlijk niet.'

Ik fronste omdat ik Kat vorige week nog met een sigaret in haar mond had gezien, samen met haar vriendinnen op school. 'Maar Kat, dat is...'

'Wat vind jij ervan om naar New York te gaan, Salim?' zei Kat dwars door mijn vraag heen.

Salim trok zijn schouders op en glimlachte, maar hij keek niet op van zijn mobieltje.

'Hij vindt het er geweldig,' zei tante Gloria. 'Dat weet ik zeker. Het Empire State Building. Het Chrysler. Salim is dol op grote gebouwen. Hij wil architect worden, hè schat?'

'Uh, ja hoor,' zei Salim. Zijn mobieltje ging over met de herkenningsmelodie van James Bond. Hij zei: 'Sorry,' en stond snel op en liep naar de gang om te antwoorden. Deze keer zag ik de blik van tante Gloria naar het plafond gaan.

Terwijl Salim weg was, begonnen we te praten over wat we de volgende dag zouden doen. Papa moest werken, maar mama had vrij en het was meivakantie, dus konden we met ons vijven iets gaan doen, zei ze. Kat wilde een boottochtje maken op de rivier. Ik wilde naar het wetenschapsmuseum. Mama wilde naar Covent Garden voor de straatmuzikanten. Tante Gloria wilde naar alle musea met beeldende kunst. En toen kwam Salim terug, terwijl hij zijn mobieltje weer in zijn zak stopte.

'Salim mag kiezen,' zei papa. 'Hij is onze gast.'

'Hij wil naar het Tate Modern, hè?' stelde tante Gloria voor.

Salim sloeg kreunend dubbel en kronkelde alsof hij vergiftigd was. Ik stond in paniek op en ramde bijna mijn elleboog door de glazen terrasdeur. Alle anderen lachten.

'Wat een grappenmaker toch!' zei tante Gloria.

Salim ging weer rechtop staan en zag er normaal uit. Hij streek langs het dunne lijntje donkere haren op zijn bovenlip. 'Mama,' zei hij. 'Alsjeblieft. Niet wéér een kunstmuseum.'

'Het Tate Modern is heel bijzonder. Het is een oude elektriciteitscentrale. Met een reusachtige schoorsteen. En echt HOOG, met hoofdletters.'

'Ja, maar ook vol kunst.'

'Wat vinden jullie van de dierentuin?' vroeg mama. 'Of het aquarium?'

'Die zijn niet erg hoog,' zei ik.

'Nee,' vond ook Salim. Hij fronste zijn wenkbrauwen. 'Ik weet het. Laten we naar het London Eye gaan.'

'Het London Eye?' zei Kat. 'We zijn er al twee keer in geweest, Salim. Het is fantastisch.'

'En hoog,' zei ik. 'Hoger dan het reuzenrad in Wenen. Technisch zit het ook heel anders in elkaar. Het is ontworpen als een soort fietswiel. Een reusachtig fietswiel in de lucht. Het draait in dertig minuten rond en...'

Kat schopte me tegen mijn schenen. Dat betekende dat ik mijn mond moest houden.

'Geweldig,' zei Salim. 'Dat wil ik doen. Wat Ted zegt. Een ritje maken met het fietswiel in de lucht. Mama, alsjeblieft.'

'Als het morgen nou bewolkt is?'

'Dat is het niet, tante Gloria,' zei ik. 'We zitten midden in een groot hogedrukgebied en het blijft mooi weer.'

'Maar die rijen!'

'Alsjeblieft, mama,' zei Salim. 'Jij kunt met tante Fai koffie gaan drinken. Ted, Kat en ik gaan wel in de rij staan voor de kaartjes. Alsjeblieft.'

'Nou, oké dan. Maar daarna gaan we even in het Tate kijken. Al die kunst in zo'n grote industriële ruimte. Ik wil Ted graag de Andy Warhols laten zien. Dat was een Amerikaan die pop-art maakte over reclame en beroemde mensen. Zoals blikjes Campbell's tomatensoep en Marilyn Monroe.'

'Ik heb van hem gehoord,' zei Kat. 'Hij was raar.'

'Hij was een cultureel idool,' zei tante Gloria. 'Voor mij is hij de belichaming van de twintigste eeuw. Sommige mensen denken zelfs dat hij...' Ze keek even naar mama. 'Nou ja... dat hij hetzelfde had als Ted.'

Er viel een stilte.

'Dat zei ik toch,' zei Kat. 'Hij was raar.'

Mama klemde haar lippen stijf op elkaar. Ik begreep dat ze boos was op Kat. Maar het kon me niet schelen. Ik weet dat ik raar ben. Mijn hersenen werken anders dan die van andere mensen. Ik zie dingen die zij niet zien en soms zien zij dingen die ik niet zie. Als Andy Warhol net zo was als ik, word ik later misschien ook een cultureel idool. Ik word niet beroemd om soepblikjes en filmsterren, maar om mijn weerkaarten en nette pakken. Dat zou fijn zijn.

'Afgesproken,' zei Salim. 'Na afloop het museum. Maar eerst het rad.'

Zo besloten we dat we naar het London Eye gingen. Of, zoals Salim het noemde, het rad.

5

Praten in het donker

Die nacht sliep Salim op het luchtbed naast me op de grond. Ik had mijn kamer nog bijna nooit hoeven delen. Mijn hand fladderde. Salim kroop zonder veel te zeggen in zijn slaapzak.

Ik vroeg me af of ik een gesprek moest beginnen. Maar waarover? Koetjes en kalfjes? Ik herinnerde me wat mama had gezegd toen ik in het najaar voor het eerst naar de middelbare school ging. Als je nieuwe mensen ontmoet, Ted, kun je beter alleen over koetjes en kalfjes praten. Ik vroeg haar wat dat betekende. Mocht ik alleen over dieren praten? Ze lachte en zei: 'Nee, ik bedoel alleen over gewone dingen.' 'Zoals het weer?' vroeg ik. Ze zuchtte en zei: 'Oké, Ted. Zoals het weer. Maar alleen over het dagelijkse weer.' Ik mocht dus wel over hogedrukgebieden en lagedrukgebieden praten, maar niet over orkanen en de opwarming van de atmosfeer.

'Salim,' zei ik, 'praat jij graag over koetjes en kalfjes?'

'Hè, wat?' zei Salim. Hij ging rechtop zitten. 'Neu. Dat is saai. Mensen doen het alleen om de tijd te doden als ze niets te melden hebben.'

'Je praat liever over belangrijke dingen?'

'Natuurlijk, Ted. Geef mij maar belangrijke dingen.'

'Waar hoort het weer bij volgens jou? Koetjes en kalfjes, of belangrijke dingen?'

'Bedoel je regen en sneeuw en zo?'

'Ja, regen en sneeuw. Stormen. Fronten. De opwarming van de atmosfeer.'

'Dat zijn belangrijke dingen. Zeker weten. Het broeikaseffect is fantastisch. Ik heb een keer in een film gezien dat heel New York onder water liep.'

'Dat gebeurt met Londen misschien ook,' zei ik.

'Neu,' zei Salim. 'Londen niet. En Manchester ook niet. Alleen New York.' Hij trok zijn knieën op tot zijn kin. 'Mijn moeder haat Manchester,' zei hij. 'Ze heeft een hekel aan regen.'

'Ik hou van regen,' zei ik, omdat ik weet dat het hele leven ervan afhankelijk is.

'Ik hou ook van regen,' zei Salim. 'Het voelt koel en kalm aan.'

'Zonder regen gaan we dood door uitdroging.'

'Zo is dat.'

'Maar als het te veel regent, krijg je een overstroming.'

'Ja.' Salim glimlachte. 'Een zondvloed. Zoals met Noach en zijn ark.'

'Sommige mensen zeggen dat de zondvloed uit de bijbel echt gebeurd is,' zei ik. 'En dat er weer een komt.'

Salims hoofd draaide opzij en hij keek me recht aan. 'Waarom heb jij zo'n belangstelling voor het weer, Ted?'

Ik dacht na. 'Het is een systeem. En ik hou van systemen. Het weersysteem is moeilijk te begrijpen omdat er zo veel variabelen zijn. En variabelen zijn interessant. Als het misgaat met het systeem, is dat een ramp. En sommige mensen denken dat het mis begint te gaan met het systeem. Dat zou het eind van de mensheid kunnen betekenen. Ik wil later meteoroloog worden en de mensheid helpen om te overleven. Maar dan moet ik heel hard studeren en alle variabelen leren kennen.'

Salim floot. 'Waarschuw je me als er een vloed aan komt, Ted? Zodat ik op tijd een ark kan bouwen?'

'Ja, dat zal ik doen,' beloofde ik.

Salim ging weer liggen en ik deed de lamp uit. Ik luisterde naar onze ademhaling. Normaal zet ik dan de radio aan om naar het weerbericht voor de scheepvaart te luisteren. Hij staat op het bureautje naast mijn bed zodat ik erbij kan. Maar mama had gezegd dat ik het niet mocht doen zolang Salim bij me op mijn kamer sliep. Mijn vingers schokten onder mijn dekbed.

'Salim,' zei ik na een paar minuten, 'slaap je?'

'Neu. Nog niet,' zei hij. 'Het is warm.'

'Dat is een nieuw hogedrukgebied,' zei ik. 'Het nadert over de Atlantische Oceaan.'

'Dat geloof ik graag.'

'Waar denk je aan?' vroeg ik. Ikzelf had over convectiestromen, isobaren en isothermen gedacht. En ik had een weerbericht voor de scheepvaart bedacht. Lundy Fastnet, veranderlijk drie tot vier. Misschien had Salim hetzelfde gedaan.

'Niets bijzonders,' zei hij. 'En jij?'

'Het weer, nog steeds.'

We waren weer stil. 'Krimpend zuid of zuidoost vijf tot zes,' zei ik hardop.

'Wat?' zei Salim.

'Ik doe of ik het weerbericht voor de scheepvaart voorlees, en in plaats van deze stilte die we nu hebben, steekt er een storm op. Buiten op zee.'

'Een storm,' zei hij. 'Als dat zou kunnen. Dan blijven de vliegtuigen op de grond.'

'Daarvoor is een heel zware storm nodig.'

'O ja?'

'Minstens windkracht acht of negen. Mist houdt vliegtuigen nog eerder op de grond.'

Ik hoorde dat hij weer rechtop ging zitten. 'Ted?'

'Ja?'

'Uh, je weet wel... dat syndroom dat jij hebt?' zei hij.

'Hrumm,' zei ik. Ik vroeg me af wie het hem had verteld.

'Als je het niet erg vindt dat ik het vraag... Wat is het precies? Hoe voelt het?'

Dat had nog nooit iemand me gevraagd. Ik ging achterover liggen op mijn kussen en dacht na. 'Het is iets in mijn hersenen,' zei ik.

'Ja?'

'Ik ben niet ziek.'

'Nee.'

'Of dom.'

'Dat weet ik.'

'Maar ik ben ook niet normaal.'

'Wie wel?'

'Misschien zijn hersenen een soort computer,' zei ik. 'Maar die van mij werken met een ander besturingssysteem dan de hersenen van andere mensen. En mijn schakelingen zijn ook anders.'

'Cool,' zei Salim.

'Ik kan heel goed over feiten denken, en hoe dingen in elkaar zitten. De dokters zeggen dat ik aan het hoogfunctionerende eind van het spectrum zit.' Ik heb ook een keer een dokter tegen mama horen zeggen dat mijn ontwikkeling onevenwichtig is. Maar dat vertelde ik Salim niet, want ik heb 'onevenwichtig' in het woordenboek opgezocht en ik begrijp niet wat daar staat.

'Dat klinkt goed,' zei Salim.

'Ja. Maar ik ben waardeloos met voetbal en zo.'

'Ik ook,' zei Salim. 'Geef mij maar tennis.'

'Mijn lievelingssport is trampolinespringen,' zei ik.

'Trampolinespringen?'

'Ja. Ik heb er een gehad. Ik sprong er elke dag op. Het hielp me om te denken, maar hij is kapot gegaan.'

'Jammer. Ik ben dol op trampolines.'

'Mijn syndroom betekent dat ik me grote dingen goed kan herinneren, zoals belangrijke feiten over het weer. Maar ik vergeet altijd kleine dingen, zoals mijn gymtas voor school. Mama zegt dat mijn hersenen net een zeef zijn. Ze bedoelt dat er van alles door de gaten in mijn geheugen valt.'

Salim lachte. 'Misschien heb ik dat syndroom ook. Ik vergeet zoveel.'

'Wat voor dingen?'

'Mijn mobieltje, af en toe. Of mijn huiswerk.'

'Ik vergeet nooit mijn huiswerk. Kat zegt dat ze me daarom op school een nerd noemen.'

'Doen ze dat vaak?'

'Ze vinden me niet aardig omdat ik alleen over belangrijke dingen praat. Ik probeer te leren om over koetjes en kalfjes te praten. Maar dat is moeilijk.'

'Je weet ontzettend veel,' zei Salim. 'Dat kan ik zien aan al die boeken.' Hij wees naar mijn planken met encyclopedieën. 'Waarom zou je anders willen zijn dan je bent?'

'Meneer Shepherd zegt dat ik meer vrienden krijg als ik leer om net zo te zijn als andere mensen, al is het alleen aan de buitenkant, en niet van binnen.' Daarna vertelde ik hem iets wat ik nog nooit aan iemand had verteld. 'Ik vind het niet altijd fijn om anders te zijn. Ik vind het niet fijn om helemaal in mijn hersenen te zijn. Soms is het net een grote lege ruimte waar ik helemaal alleen ben. Er is niets anders, behalve ik.'

'Helemaal niets?'

'Niets,' zei ik. 'Zelfs het weer niet. Alleen mijn gedachten.'

'Die plek ken ik,' zei Salim. 'Ik leef daar ook. Het kan er ontzettend eenzaam worden, hè?'

Ik hoorde dat hij weer ging liggen. Hij floot zacht. 'Verdomd eenzaam,' mompelde hij, en toen werd hij stil.

Ik dacht dat hij in slaap was gevallen, maar even later zei hij: 'Op mijn school scholden ze je voor nog veel ergere dingen uit dan nerd. Het was een jongensschool, zonder meisjes, met veel geweld.'

'Geweld?'

'Ja. Sarren en vechten. Eén jongen had een mes. Ik vond het vreselijk. Maar toen ik bevriend raakte met Marcus, werd het beter. We waren de top *moshers* van de klas. Marcus was vroeger Paki-Boy, zoals jij een nerd wordt genoemd. Maar dat is hij niet meer. Hij is nu een mosher.'

'Een mosher?' zei ik. 'Wat is dat?'

'Zo noemen ze je daar als je cool bent. Een paar maanden geleden hebben we in een toneelstuk gespeeld dat *De storm* heet. Marcus was de ster. Nu is hij nooit meer Paki-Boy.'

'*De storm?*' zei ik. 'Gaat dat over het weer?'

'Ja. Het is een toneelstuk van Shakespeare en het begint met een enorme storm op zee. Helemaal in jouw straatje.'

Daarna viel hij in slaap. Ik lag op mijn rug te luisteren hoe hij in- en uitademde. Ik vroeg me af hoe *De storm* helemaal in Rivington Street kon zijn, waar ik woon. Maar toen begreep ik dat 'in jouw straatje' weer zo'n rare uitdrukking was waarmee mensen iets anders bedoelen dan ze zeggen. Mijn hersengolven wervelden rond door de grote holte in mijn hoofd, als moleculen in een cumulonimbus waaruit het elk ogenblik kan gaan plenzen. Ik bedacht een weerbericht voor de scheepvaart. Malin Hebriden, noordwest zeven tot storm negen, toenemend lagedrukgebied dat zich verplaatst naar het noordoosten, regen, veranderlijk...

Er kwam een koel briesje door het raam. Salim zuchtte alsof hij in een droom over iets nadacht. Ik dacht aan tante Gloria, die had gezegd dat Andy Warhol een cultureel idool was en misschien hetzelfde had als ik. Het schoot me te binnen dat Einstein het ook had volgens sommige mensen. Mijn hersengolven kwamen tot rust. Ik viel in slaap.

6

We gaan naar het London Eye

Toen ik wakker werd, was de slaapzak op het luchtbed naast me op de grond leeg. Ik keek uit het raam wat voor weer het was. De zon scheen. Het hogedrukgebied van de afgelopen dagen was er nog. Barometers zouden mooi droog weer aangeven en de isobaren zouden ver uit elkaar liggen, zoals ik gisteren al had voorspeld.

Ik vond Salim samen met Kat in de badkamer. Hij had papa's scheermes in zijn hand en schoor lachend de haartjes van zijn bovenlip.

'Ik vond het juist goed staan, Salim,' zei Kat.

Salim draaide zich om en knipoogde naar me. 'Ja, maar hoe vaker je het scheert, hoe beter het teruggroeit. Het is net gras maaien.'

Kat gierde van het lachen. Zo noemen mensen dat, maar volgens mij klonk het heel anders dan het gieren van de wind. Ik vond het ook erg onlogisch dat haar of gras langer zou worden als je het afknipt. Maar ik lachte toch, omdat ik Salims vriend wilde zijn. Daarna streek ik met een vinger over mijn eigen bovenlip. Er zaten geen haren en dat vond ik fijn. Ik heb serieuze twijfels over haar in mijn gezicht. Ten eerste is scheren gevaarlijk. Als papa de badkamer uitkomt, zitten er vaak stukjes bloederig wc-papier op zijn huid geplakt. Ten tweede is haar in je gezicht een teken dat we van apen afstammen. En als je daar-

33

aan denkt, moet je ook toegeven dat mensen vaak niet erg intelligent zijn.

Daarna gingen we ontbijten. Ik at drieënveertig Shreddies, Kat at geroosterd brood en Salim begon aan een kom cornflakes, maar at hem niet leeg. Toen gingen we van huis, en mama en tante Gloria kwamen als een wervelwind achter ons aan. Dat vind ik een leuke uitdrukking. Ze hadden geen ruzie, maar praatten aan één stuk door en letten verder nergens op. Bij een wervelwind is het moeilijk om nog op iets anders te letten.

Kat, Salim en ik liepen samen voorop. Ik liep het dichtst bij de stoeprand. Ik sprong over de spleten tussen de stenen en rond de lantaarnpalen, en hield mijn handen in mijn zakken. Zo loop ik het liefst als ik samen ben met andere mensen.

We kwamen langs de Barak. Salim zei dat het zo'n reusachtig gebouw was, en ik vertelde dat het vierentwintig verdiepingen had, en Kat zei dat papa het binnenkort ging slopen.

'Het is niet waar,' zei Salim.

'Ja hoor,' zei Kat.

'Waarom moet het weg?'

'Papa zegt dat het vol zat met drugs, naalden en wanhopige alleenstaande moeders. En kakkerlakken.'

'Jakkes.'

'Ja. En de postbode wilde er niet meer bezorgen.'

Salim keek omhoog. 'Het is wel hoog, zeg.'

Kat wees naar een andere hoge toren. 'Daar werkt onze moeder, Salim. In Guy's Tower.'

'Ga weg.'

'Echt.'

Het gebouw was hoog en zilverkleurig, en ik kon zien dat Salim onder de indruk was van Londen, want hij keek met grote ogen en open mond naar alle hoge gebouwen. Toen moesten we de metro in. Kat en Salim zaten naast elkaar en ik zat twee rijen verderop tussen twee onbekenden. Ik sloeg mijn armen over elkaar om ervoor te zorgen dat mijn hand niet fladderde. Meneer Shepherd zegt dat ik die gewoonte moet afleren. Ik staarde naar de kaart van de Londense metro. Het is een topologische kaart. Dat is een sterk vereenvoudigde kaart die niet op schaal getekend is. Dus kun je er niet de afstanden op zien. De haltes zijn plaatsen waar je kunt in- of uitstappen, en soms ook overstappen. Ze zijn getekend op rechte lijnen met splitsingen, maar in werkelijkheid is het natuurlijk een wirwar. Als ik naast Salim had gezeten, zou ik hem verteld hebben over de verschillende soorten kaarten die er zijn. Ik had hem kunnen uitleggen dat je topologische kaarten niet moest verwarren met topografische kaarten. Maar toen ik in Salims richting keek, liet Kat hem haar zilveren nagellak zien en vroeg hem naar zijn sociale leven. Dat weet ik omdat ze daar altijd over praat. Ik probeerde te zien of hij zich verveelde. Als mensen zich vervelen, doen de spieren in hun gezicht niets, zegt meneer Shepherd. En ze staren zonder echt te kijken. Meneer Shepherd zegt dat ik altijd in de gaten moet houden of mensen zo kijken als ik tegen ze praat. Salim lachte en stootte Kat aan. Daaruit leidde ik af dat hij zich niet verveelde. Maar ik zou me wel verveeld hebben.

We stapten uit op Embankment Station, zodat we over een van de Golden Jubilee Bridges konden lopen voor het uitzicht. De hemel was blauw. De rivier was grijs. Het Eye was wit. De cabines bewogen zo traag dat het bijna leek of ze stil hingen.

Halverwege de Theems haalde Salim een ouderwets fototoestel uit zijn zak, zo een waarin je een filmpje moet gebruiken.

'Dat is een interessante camera, Salim,' zei Kat.

'Die heeft mijn moeder me gegeven omdat we naar New York

gaan. Ik wilde een digitale camera, maar ze zegt dat ik hiermee uiteindelijk een betere fotograaf word.'

Daarna fotografeerde hij alles om zich heen, ook Kat en mij samen, met het London Eye achter ons. Nadat hij die foto had gemaakt, klonk het melodietje van James Bond uit zijn mobieltje. Hij leunde over de reling van de brug en praatte erin als een spion met een dubbelnul-opdracht, alsof hij niet wilde dat iemand meeluisterde.

'Jij met je telefoon!' zei tante Gloria toen hij het gesprek beëindigde en zijn mobieltje dichtklapte. 'Wie was het deze keer?'

'O, gewoon een vriend,' zei Salim. 'Hij belde uit Manchester om afscheid te nemen. Zullen we doorlopen? We zijn laat.'

'Laat waarvoor, Salim?' vroeg ik.

'Voor het rad.'

'Je kunt niet laat zijn voor het London Eye,' zei ik. 'Het draait de hele dag, twee keer per uur, tot na donker.'

Big Ben sloeg elf toen we bij de rij voor de kaartjes kwamen. De rij was erg lang. De twee moeders kreunden.

'Er komt geen eind aan,' zei mama.

'Dat kan niet,' zei ik. 'Oneindigheid...'

'Zullen we eerst naar het Tate gaan en later terugkomen?' stelde tante Gloria voor.

'Je hebt het beloofd!' schreeuwde Salim. Hij stampte met zijn voet en zijn wenkbrauwen gingen omlaag tot vlak boven zijn ogen.

'Salim heeft gelijk,' zei mama. 'We hebben het beloofd, Glo. Laten we ons aan het plan houden. Hier, Kat. Pak aan...' Ze gaf Kat een paar grote bankbiljetten. 'Halen jullie de kaartjes? Dan wachten Gloria en ik daar in het café. Als jullie ze hebben, komen we bij jullie staan in de rij.'

Kat zette grote ogen op toen ze het geld aannam. Ze stopte het zorgvuldig weg in haar rugzak met luipaardmotief. Daarna zochten Kat, Salim en ik het eind van de kaartjesrij en sloten aan. De vrouw voor ons vroeg aan de vrouw voor haar of ze wist hoe lang ze moesten wachten, en de vrouw daar weer voor zei dat het een halfuur duurde voor je kaartjes had, en nog een halfuur voor je kon instappen.

'Een heel uur,' kreunde Kat. 'Dat is wel erg lang.'

'Kat,' zei ik, 'een uur is een Druppel in de Oneindige Oceaan van de Tijd.' Dat zei dominee Russell een keer bij ons in de kerk over de levensduur van een mens.

Salim glimlachte. 'Zo is dat.' Hij haalde zijn fototoestel weer tevoorschijn en maakte een foto van waar we stonden. Ik vroeg of ik ook een foto mocht maken.

'Niet doen, Salim,' zei Kat. 'Zulke dingen kan Ted niet. Hij maakt vast een foto van een stoeptegel en een halve gymp of zo.'

Maar Salim trok zich er niets van aan. Hij gaf me het fototoestel en ik richtte door de zoeker op de naaf van het reuzenrad. Het schokte toen ik afdrukte. Ik liet het fototoestel zakken en zag een man naar ons toe komen. Hij droeg een oud leren jack, met de rits open, en een zwart t-shirt met tekst, maar ik zag niet wat erop stond. Hij had donkere haren en een middagschaduw op zijn kin. Zo noemt papa het als hij zich in het weekend een dag niet hoeft te scheren. Toen de onbekende dichterbij kwam, gooide hij een sigaret op de grond en maakte hem uit met zijn hiel. Daarvoor had hij duizend pond boete kunnen krijgen, maar niemand scheen het te merken behalve ik.

Hij kwam recht op ons af. 'Hallo,' zei hij. 'Willen jullie een kaartje?'

Kat legde uit dat we in de rij stonden voor vijf kaartjes. De onbekende zei dat we zijn kaartje mochten hebben als we dat wilden. Hij stond bijna vooraan in de rij om in te stappen, maar hij had zich bedacht. Hij kon het niet aan.

'Kun je het niet aan?' zei Salim. Hij keek naar het kaartje dat de man in zijn hand had, en toen omhoog naar het Eye.

'Ik heb last van claustrofobie. Ik val flauw als ze me opsluiten in zo'n perspex cabine.'

Ik vergat dat ik niet met onbekenden mocht praten, en zei: 'De cabines zijn gemaakt van staal en glas, niet van perspex.'

'Dat is nog erger! Glas? Nee, dank je.'

'Het glas is gehard. Het is heel sterk en veilig...'

'Dus je wilt je kaartje niet meer?' viel Salim me in de rede.

'Jullie mogen het hebben.' De onbekende man bood ons zijn kaartje aan. 'Het is voor half twaalf. Dat meisje daar houdt mijn plaats vast.' Hij draaide zich om en wees naar een meisje met een zonnebril en een pluizig roze jack. 'Ze gaan zo instappen.'

Salim keerde zich om naar Kat. 'Wat vind jij?'

'Ik weet het niet,' zei Kat. 'Mama zei dat we kaartjes moesten kopen voor iedereen. Het is heel aardig, maar...'

Mijn hand fladderde omdat ik me net had herinnerd dat ik niet met onbekenden mag praten en ook niets van ze mag aannemen. Maar Salim hield zijn handen met de palm omhoog in de lucht en zei: 'Nou ja, in dit tempo komen we geen van allen in het rad.' En ik kon zien dat Kat zich afvroeg wat ze het beste kon doen. Als oudste had zij de leiding.

'Nou, goed,' zei ze. 'Mama en tante Glo zijn vast blij dat we het geld besparen. En de tijd natuurlijk. Ted en ik zijn al in het Eye geweest. Neem jij het kaartje maar, Salim. Jij bent de gast.' De man gaf Salim het kaartje en nam ons mee naar de plaats waar hij in de rij had gestaan. Mijn hand fladderde omdat dit betekende dat ik die dag toch geen rit in het Eye zou maken, en dat kwam door een onbekende met een middagschaduw, met wie we eigenlijk niet eens hadden mogen praten.

'Veel plezier,' zei de man glimlachend.

'Reuze bedankt,' zei Salim. Zijn mondhoeken raakten bijna zijn oren. Kat en ik hielden Salim gezelschap in de rij, tot we bij de man kwamen die de kaartjes controleerde en riep: 'Voor half twaalf hierheen!' Salim liet zijn gratis kaartje zien, knipoogde naar ons en lachte. Toen liep hij met een groep mensen de zigzaghelling op naar de ingang van het Eye.

'We zien je bij de uitgang,' riep Kat. 'Daar verderop.'

Salim knikte. We zagen hem door het glas omhoog lopen tot hij nog maar een schim was. Hij kwam bij de plek waar de deuren van de cabines open- en dichtgaan, en zijn schim zwaaide nog één keer naar ons. Toen liep hij snel door, samen met een stel anderen. Ik telde hoeveel mensen er instapten. Eenentwintig, met hem erbij. De deur van de cabine ging achter hen dicht.

Ik keek op mijn horloge en las: 11.32, 24 mei.

'Hij is om twee over twaalf terug,' zei ik tegen Kat.

7

Het rad draait

'Zullen we proberen Salim bij zijn hele rondje te volgen?' zei Kat. De cabine waar hij in zat ging omhoog. Door achteruit te lopen konden we hem volgen toen hij langzaam vanaf zes uur tegen de klok in ronddraaide naar vier uur.

Terwijl we keken, begon ik Kat te vertellen wat ik over het Eye wist: dat het een bijzondere vrijdragende constructie had en dat je op een heldere dag van bovenaf veertig kilometer ver kon kijken. Maar ze viel me in de rede en zei: 'Vind je Salim aardig, Ted?'

'Hij is onze neef,' zei ik. 'Dat betekent dat we vijftig procent dezelfde genen hebben.'

'Ja, maar vind je hem aardig?'

'Hrumm. Ik...'

'Voel je niets? Helemaal nooit?'

'Ik vind hem aardig, Kat. Hij is een vriend van me.'

Ze knikte. 'Hij is leuk.'

'Leuk,' zei ik. Kat noemt van alles leuk, zoals katten, voetballers, filmsterren, rokken en baby's. Dus betekent leuk niet veel, want als alles leuk is, wat is dan niet leuk? Ik, misschien. Ik denk niet dat Kat mij ooit leuk zal vinden.

'Salim is een mosher,' zei ik.

'Een mosher?'

'Ja, zo noemen ze je in Manchester als je cool bent,' zei ik. 'En soms is hij eenzaam. Dat heeft hij me verteld.'

'Echt waar?' Kat klonk alsof ze onder de indruk was. 'Misschien komt het doordat hij naar New York moet verhuizen. Ik zou me ook eenzaam voelen als ik weg moest van al mijn vrienden.'

We bleven naar het London Eye kijken, dat langzaam ronddraaide. Het was net een reusachtige klok, alleen draaide hij tegen de klok in. Terwijl Salims cabine onderweg was van drie uur naar twee uur, vloog er een vliegtuig laag over.

'Kat?' zei ik.

'Ja?'

'Wat betekent het als iets in jouw straatje is?'

'Huh?'

'Salim zei dat *De storm* helemaal in mijn straatje was. Hij heeft het een paar maanden geleden op school gespeeld.'

Kat lachte. 'Wij hebben het op school ook gelezen. Meneer Moynihan liet mij telkens Miranda's rol lezen en dat is zo'n trut.'

Ik dacht hierover na. 'Dus het is niet in jouw straatje?'

'Jakkes, nee.' De cabine was bijna bij de één. 'Wat vind je van tante Glo?' vroeg Kat.

Ik herinnerde me dat ze volgens papa een spoor van verwoesting achterlaat. Maar ze had ook gezegd dat ik net zo was als Andy Warhol, en hij was een cultureel idool. 'Ik weet het niet.'

'Ik ook niet. Ik hoorde papa tegen mama zeggen dat hij knetter werd van tante Gloria. En ik heb op de ijskast twee lege wijnflessen gevonden.'

In mijn gedachten zag ik tante Gloria met twee flessen wijn op de ijskast zitten terwijl papa er op een knetterende brommer omheen reed. 'Bedoel je dat hij knetter van haar wordt zoals jij stapel wordt van mij?' zei ik.

'Knetter. Stapel. Gestoord. Lijp. Je zegt het maar.'

Ze lachte en ik deed mee om te laten zien dat ik wist wat ze bedoelde, ook al begreep ik niet goed wat er zo leuk aan was dat papa gek werd van tante Gloria.

Toen bereikte Salims cabine het hoogste punt, en we zeiden allebei tegelijk: 'Nu!' We lachten weer en deze keer meende ik het. We hadden allebei dezelfde cabine gevolgd, waar Salim in zat. Op mijn horloge was het 11.47 uur. Salims cabine was precies op tijd, en bovenop glinsterde het glas door de zon.

Hij daalde langzaam af naar negen uur. Ik herinnerde me dat er kort voor het eind van de ronde automatisch een foto wordt gemaakt. De mensen van het London Eye hebben een camera aangebracht die een goede foto kan maken van iedereen, met Big Ben op de achtergrond. Het gebeurt ergens tussen acht en zeven uur. Ik zag de donkere gedaanten in Salims cabine naar één kant lopen en naar het noordoosten kijken, in de richting van de camera. Ik zag zelfs de flits.

Toen liepen we naar de plaats waar we met Salim hadden afgesproken, en wachtten tot zijn cabine beneden was. Om 12.02 uur gingen de deuren open. Een groepje van zes volwassen Japanse toeristen kwam het eerst naar buiten. Daarna volgden er een dikke man en een dikke vrouw met twee jongetjes die ook dik waren – waarschijnlijk aten ze allemaal te veel kant-en-klaar voedsel en moesten ze hun voedingspatroon verbeteren. Toen kwam het meisje met haar pluizige jack, gearmd met haar vriendje. Na hen kwam een grote, zware man in een regenjas, met grijs haar en een aktetas. Je zou hem eerder in een forenzentrein verwachten dan in het London Eye. Daarna volgde er een lange, slanke blonde vrouw, hand in hand met een grijsharige man die veel kleiner was dan zij. Ten slotte kwamen er twee Afrikaanse vrouwen in kleurige, golvende jurken naar buiten. Ze lachten alsof ze op de kermis waren, en ze hadden vier kinderen van verschillende leeftijden bij zich, die heel blij leken.

Maar Salim was nergens te zien.

Ik wist meteen dat er iets mis was.

'Hrumm,' zei ik.

Kat trok een lelijk gezicht. 'Ik zou gezworen hebben dat hij in die cabine zat met de Japanners...' De passagiers liepen weg, in verschillende richtingen. 'Dan zit hij blijkbaar in de volgende.'

We wachtten, maar Salim zat niet in de volgende cabine. En ook niet in die daarna, en die daarna.

Er kroop een slecht gevoel omhoog door mijn slokdarm.

'Blijf hier,' zei Kat terwijl ze mijn hand vastpakte. 'Niet weggaan.'

Ze liet mijn hand weer los en rende weg. Ik vond het niet fijn om alleen te worden gelaten in die drukte. Ik knipperde met mijn ogen en keek rond. Misschien zou Salim toch nog ergens opduiken. Toen begon ik te denken dat ik Kat ook kwijt was. Het schoot me te binnen dat ik niet wist hoe ik mama en tante Gloria moest vinden. Dat betekende dat ik ook verdwaald was. Mijn hand fladderde en het kwam niet bij me op om ermee te stoppen.

Toen kwam Kat terug. 'Is hij er nog niet?'

'Nee, Kat.'

'Ik heb deze foto gekocht,' zei ze. 'Ik heb alle foto's uit het Eye bekeken, van de cabines voor en na hem. Maar ik kon Salim nergens vinden. Dit is de foto met de Japanners en de Afrikaanse vrouwen.'

Ze liet me de foto zien en ik keek naar de gezichten van onbekenden die naar de camera lachten en zwaaiden. Er waren allerlei stukken van de mensen afgehakt, want de cabine was flink vol. Ik zag ergens een half gezicht, en een losse zwaaiende arm. Maar ik kon niets ontdekken wat op Salim leek.

'Salim is er niet bij,' zei ik. 'Hij is verdwenen.'

Kat kreunde. 'Wat zullen mama en tante Gloria boos zijn.'

8

In rook opgegaan

We liepen naar mama en tante Gloria, die koffie zaten te drinken.

'Zullen we liegen?' fluisterde Kat. 'Over die onbekende van wie we een kaartje hebben aangenomen.' Ze greep me zo hard bij mijn pols dat het pijn deed.

'Liegen,' herhaalde ik. 'Hrumm. Liegen.'

'We zouden kunnen zeggen dat Salim verdwaald is in de drukte. Dat hij...' Ze liet mijn pols los. 'Ach, laat maar,' zei ze. 'Jij kunt toch niet liegen. En stop met die eend-die-is-vergeten-hoe-hij-moet-kwaken-blik!'

We kwamen bij het tafeltje waar mama en tante Gloria druk zaten te kletsen, en we bleven zwijgend naast hen staan. Het bonsde in mijn oren, alsof mijn bloeddruk plotseling omhoog was geschoten. Dat zegt mama altijd dat er bij haar gebeurt als Kat haar gek maakt.

'O, zijn jullie daar,' zei tante Gloria. 'Hebben jullie de kaartjes?'

Kat wachtte tot ik iets zei.

Ik wachtte tot Kat iets zei.

'Waar is Salim?' vroeg mama. 'Hij staat toch niet meer in de rij?'

'Hrumm,' zei ik. 'Nee.'

Mama keek achter ons, alsof Salim daar kon staan. 'Waar is hij dan?'

'Dat weten we niet!' flapte Kat eruit. 'Er kwam een man naar ons toe die ons een kaartje aanbood. Gratis. Hij had het gekocht en wilde opeens niet meer.'

'Hij had claustrofobie,' legde ik uit.

'Dat klopt. En de rij was vreselijk lang. Dus namen we het kaartje aan. En gaven het aan Salim. Hij is in zijn eentje omhoog gegaan. Maar hij is niet teruggekomen.'

Tante Gloria hield een hand boven haar ogen en keek omhoog. 'Dan is hij dus ergens daar boven,' zei ze glimlachend.

Kat hield een hand aan haar mond, en haar vingers wriemelden als wormen. Dat had ik haar nog nooit zien doen. 'Nee,' zei ze. 'Hij is al een hele tijd geleden omhoog gegaan. Ted en ik hebben zijn cabine in de gaten gehouden. Maar toen Salims cabine terugkwam... zat hij er niet in.'

Mama trok een lelijk gezicht. Dat betekende dat ze a) het niet begreep, b) boos was, of c) allebei. 'Hoe kan dat nou in vredesnaam?'

'Hij is omhooggegaan, mama,' zei ik nog eens. 'Maar hij is niet omlaaggekomen.' Mijn hand fladderde en mama's mond werd zo rond als een O. 'Het is in strijd met de wet van de zwaartekracht, mama. Hij ging omhoog, maar kwam niet omlaag. Dus had Newton het mis. Hrumm.'

Mama keek nu eerder boos dan verbaasd. Maar tante Gloria's gezicht bleef zo glad als ongevouwen papier. 'Ik weet vast wat er is gebeurd,' zei ze glimlachend.

'Wat?' zeiden we allemaal.

'Hij is waarschijnlijk nog een keer rond gegaan.'

Het was zo'n eenvoudige oplossing. Waarom hadden wij daar niet aan gedacht?

'Natuurlijk, dat is het,' zei Kat. 'Hij is gewoon in de cabine gebleven.'

Ik keek op mijn horloge. 'Dan landt hij om twaalf uur tweeëndertig.'

We gingen terug naar het Eye, en mama ging mee. Tante Gloria zei dat ze daar bleef, omdat Salim wist waar hij haar kon vinden als we hem kwijt waren.

We keken naar een paar cabines die open en dicht gingen,
maar Salim was er niet bij. Het werd 12.32 uur. Geen Salim.
Mama vroeg het personeel van het Eye om hulp. Een vrouw van
de klantenservice kwam met ons praten. Ze zei dat ze wel wilde
helpen, maar niets voor ons kon doen. Het was een regel van het
London Eye dat kinderen alleen mee mochten in gezelschap
van een volwassene.

Mama fronste haar wenkbrauwen. 'Kat,' zei ze, 'ik vertrouwde
op jou. Je had dat kaartje nooit mogen aannemen. Je had Salim
niet in zijn eentje mogen laten gaan.'

Toen gebeurde er iets verschrikkelijks. Kat begon te huilen.
Dat had ze in geen tijden gedaan. Ze drukte haar knokkels tegen
haar jukbeenderen. 'Het is altijd mijn schuld. Nooit die van Ted.
Ik krijg altijd op mijn kop. Ted doet nooit iets fout.'

'Jij bent de oudste, Kat. Maar blijkbaar niet veel wijzer.'

Mama beet op haar lip en ze keken elkaar boos aan.

'We kunnen toch zijn mobieltje bellen?' zei ik.

Mama keek even alsof ik iets doms had gezegd. Toen klaarde
haar gezicht op. (Dat zeg je als iemand ongelukkig kijkt en dan
plotseling blijer wordt. Ik vind het een leuke uitdrukking omdat
het ook een weermetafoor is. Een gezicht kan net zo opklaren
als de lucht wanneer er een donkere cumulonimbuswolk is
overgedreven en de zon weer doorkomt.) 'Ja, Ted! Natuurlijk!'
zei mama glimlachend. 'Je bent geniaal. Daar hadden we
meteen aan moeten denken.'

We liepen snel terug naar tante Gloria, die nog aan haar tafeltje zat te wachten. Salim was nergens te zien. Toen ze ons zonder hem terug zag komen, zuchtte ze diep. 'Waar kan die jongen zijn?' zei ze.

Mama pakte tante Gloria's handtas. 'Bel hem op. Pak je mobieltje en bel hem.'

'Oké,' zei tante Gloria. 'Hij is waarschijnlijk maar een paar meter hiervandaan.'

Ze tikte op een paar toetsen en hield de telefoon glimlachend en knikkend tegen haar oor. Toen deed haar gezicht het omgekeerde van 'opklaren'. Het betrok.

'De mobiele telefoon die u probeert te bellen is uitgeschakeld,' herhaalde ze. 'Probeer het later opnieuw.'

Ze liet haar hand met de telefoon op tafel zakken. Haar lippen trilden.

'Waarom staat zijn telefoon uit?' fluisterde ze. 'Waarom?'

Kat zei later dat we het volgende uur als kippen zonder kop rondliepen in de buurt van het London Eye. Het is een wonderlijk feit dat kippen nog een paar tellen kunnen rennen nadat ze zijn onthoofd. Maar ik geloof niet dat ze dat een uur volhouden. We keken overal, maar Salim was nergens te bekennen. We gingen terug naar de klantenservice, en ze belden de politie. Een agent schreef onze namen en adressen op. Hij vroeg of we dachten dat Salim de weg terug naar ons huis kon vinden. Waarschijnlijk wel, antwoordden we. Toen zei hij dat we drie dingen moesten doen:

a) blijven bellen
b) naar huis gaan en wachten
c) proberen ons geen zorgen te maken.

Hij zei dat hij de vermissing van Salim zou doorgeven aan de andere politiemensen die dienst hadden in de omgeving. Als Salim over een paar uur nog niet terug was, zou er iemand van de politie bij ons langskomen. Kat probeerde uit te leggen dat Salim verdwenen was nadat hij was ingestapt en voordat hij was uitgestapt. Maar hij keek haar aan alsof ze het verzon.

'Kinderen gaan niet in rook op,' zei hij. 'Dat heb ik nog nooit meegemaakt.'

Dus toen deden we b) en gingen naar huis om te wachten. We hoopten dat we Salim in onze voortuin zouden zien staan, maar hij was er niet. Dus deed tante Gloria a) en drukte telkens op de herhaaltoets van haar mobieltje. Mama nam haar mee naar binnen en zette thee. Kat pakte een schaal en legde er chocolade-vingers op. Dat was mama's en Kats manier om c) te doen. Maar niemand at ervan. We probeerden allemaal om ons geen zorgen te maken, maar het lukte niemand.

Mama belde papa en vertelde hem wat er was gebeurd. Hij zei dat hij om de hoek in de Barak was en bijna klaar was met zijn werk voor die dag. Hij zou snel naar huis komen om te zien of er iets was wat hij kon doen om te helpen. Toen mama ophing, ging meteen de telefoon. Tante Gloria graaide ernaar.

'Salim!' riep ze.

Ze luisterde even en haar gezicht veranderde in een mini-ijs-tijd (die uitdrukking heb ik zelf bedacht, en ik hoop dat je kunt raden wat het betekent). Ze smeet de hoorn op de haak.

'Een of andere kerel die dubbel glas wilde verkopen,' zei ze op een toon alsof het verkopen van dubbel glas een misdaad was tegen de menselijkheid. Ze keek naar de klok op de schoor-steenmantel.

'Drie uur,' zei ze. 'Hij is al drie uur weg. Dat is nog nooit gebeurd.'

Ze begon heen en weer te lopen in de kamer, terwijl ze met een gebalde vuist in de palm van haar andere hand stompte. Het was heel interessant om te zien. Ik vroeg me af met wat voor weer ze vergeleken kon worden, en koos voor een heel plaatselijke donderbui met gevorkte bliksem.

'Salim,' zei ze alsof hij in de kamer was, 'ik vil je levend.'

Dat vond ik nogal onlogisch. Ze wilde toch juist dat hij heelhuids thuiskwam?

Toen zei tante Gloria: 'O, jongen van me, wat hebben ze met je gedaan?'

Ik vroeg me af wie ze met 'ze' bedoelde.

Daarna zei ze: 'Als je woensdag maar terug bent. Anders missen we onze vlucht naar New York.'

En toen: 'Die stomme agent. Me geen zorgen maken! Ik wed dat hij geen kinderen heeft.'

En toen: 'Zou een of andere gemene bende hem ontvoerd hebben? O, mijn God, nee toch?'

En toen merkte ze dat ik naar haar keek.

'Wat kijk je nou?' Ze wees met een roze gelakte vingernagel naar me en prikte in de lucht. 'Als jij niet had voorgesteld om naar het London Eye te gaan, was dit niet gebeurd. Jij en je stomme fietswiel in de lucht!' Ze plofte neer op de bank en jammerde. 'O, Ted. Het spijt me. Dat meende ik niet.'

'Glo!' zei mama, die snel naast haar ging zitten. 'Kalm maar, lieverd.' Ze wapperde met haar hand naar mij alsof ik een lastige vlieg was. Ik nam aan dat ze wilde dat ik verdween.

Ik ging naar Kat, die in de keuken aan tafel zat. Ze had haar koptelefoon op en haar hoofd op haar armen zodat ze me niet kon zien of horen.

Dus ging ik naar boven, naar mijn kamer.

9

Dodo's, brigantijnen en lords

Ik sprong op mijn bed, omlaag naast het opblaasbed waarop Salim die nacht had geslapen, bonkte met mijn vuist tegen de muur, sprong weer op het bed, omlaag, tegen de muur, zei: 'Hrumm, hrumm,' sprong weer op het bed, op de vloer... Dit deed ik altijd toen ik klein was, voordat papa en mama een trampoline voor me kochten. Toen de trampoline er was, sprong ik daarop. Na een tijdje ging de trampoline stuk, maar ik ben niet meer op bed gaan springen omdat mama zei dat ik de muren en meubels zou beschadigen nu ik groter was.

Dus had ik het al jaren niet meer gedaan. Ik was helemaal vergeten hoe fijn het was.

Toen ik genoeg had van het springen, pakte ik een paar delen van mijn encyclopedie, kroop op mijn bed tegen de muur en las over een paar interessante onderwerpen.

Er werd op de deur geklopt en Kat kwam binnen.

'Ted,' zei ze. Ze deed de deur achter zich dicht en leunde ertegen. 'Je hebt je jas nog aan. Waarom vergeet je die altijd uit te trekken?'

Ik haalde mijn schouders op en trok mijn jack strakker om me heen.

'Ted, ik heb je nodig,' zei Kat. En toen deed ze iets vreemds: ze kwam naast me op bed zitten. 'Jij bent de enige die ik nog heb. Mama wil niet met me praten. Tante Gloria denkt dat ik de duivel ben in vermomming. Papa is terug van zijn werk, maar elke keer dat ik mijn mond opendoe, schudt hij alleen zijn hoofd.'

Ik keek op. 'De dodo is verdwenen, Kat,' zei ik.

'Wat?'

'De dodo. Hij is uit de evolutie verdwenen.'

'O ja. De dodo. Nou en?'

'Hij is verdwenen. Darwin zou zeggen dat hij zich niet meer goed genoeg kon aanpassen om te overleven. Daardoor is hij er niet meer.'

'Ik geloof niet dat Salim uit de evolutie is verdwenen, Ted.'

'Nee, dat weet ik. Maar ik heb nagedacht over verdwijningen,' zei ik. 'En erover gelezen in mijn encyclopedie.'

'O ja?'

'Er was een Lord Lucan. De mensen denken dat hij de kinderjuf heeft vermoord die voor zijn kinderen zorgde, en daarna uit wroeging van een rots is gesprongen. Dat kan waar zijn. Maar zijn lijk is nooit gevonden, Kat. Misschien heeft hij alleen die indruk gewekt en is er in vermomming vandoor gegaan, onder een andere naam. Volgens één theorie is hij naar India gegaan en daar een langharige hippie geworden.'

'Ik begrijp niet wat dat te maken heeft met...'

'Maar misschien is hij zelf ook vermoord en ligt hij nu begraven onder iemands terras.'

Er viel een lange stilte. 'Daar schieten we niet veel mee op, Ted.'

'En dan heb je de Mary Celeste. De Mary Celeste was een brigantijn van dertig meter uit New York. Hij is in de Baai van Gibraltar gevonden zonder mensen aan boord. Het was alsof ze door marsmannetjes de ruimte in waren gestraald.'

'Ted, dit is niet het moment om grappen te maken.'

Ik sloeg het boek hard dicht.

'Oké,' zei Kat. 'Je maakte geen grap. Dat zou ik zo langzamerhand moeten weten. Je maakt nooit grappen. Wat bedoel je dan?'

Ik wist niet goed wat ik bedoelde. Het enige verband tussen dodo's, Lord Lucan, de mensen aan boord van de Mary Celeste en Salim was dat ze allemaal waren verdwenen. Ik keek naar Kats opgetrokken schouders. Het was stil in de kamer. Ik hoorde alleen haar ademhaling en die van mij. Met heel veel moeite stak ik mijn hand uit en legde die op haar kromme schouder. Hij voelde benig en zacht aan.

'Kat,' zei ik, 'dit is een probleem van ons samen. Mensen verdwijnen. En dingen ook. Maar de meeste komen weer terug.'

Kat legde een hand op die van mij en ik zag tranen over haar wangen stromen. Haar hoofd zakte opzij – nu zag zij eruit als een eend die is vergeten hoe hij moet kwaken – en ik voelde een traan op de hand op haar schouder vallen. Even wist ik niet of het haar hand was of die van mij. Ik vind het vreselijk om mensen aan te raken. Door de natheid van de traan en de verwarring van de handen voelde het alsof geen van ons beiden wist waar Kat begon en ik eindigde.

'Ted,' zei ze, en ze schudde met haar hoofd. 'De mensen van de Mary Celeste zijn nooit meer teruggekomen. En de dodo niet. En Lord Dinges ook niet.' Ze zweeg en vocht tegen haar tranen. 'Die agent had gelijk,' ging ze verder. 'Mensen gaan niet in rook op. Salim moet ergens zijn. Het is mijn schuld dat hij verdwenen is. Ik moet hem terugvinden. Maar ik kan het niet zonder jouw hulp. Ik heb jouw hersenen nodig, Ted. Niemand kan beter denken dan jij.'

Het was de eerste keer in mijn leven dat Kat mij een compliment maakte. Ik stak mijn handen diep in mijn jaszakken, tuurde omlaag naar mijn gympen en zei: 'Hrumm.' Toen drong het tot me door dat er in een van mijn zakken iets zat wat daar niet hoorde te zijn. Ik haalde het tevoorschijn en staarde ernaar.

'Salims camera!' zei Kat ademloos.

10

Haat-liefde

Kat pakte het fototoestel van me af en hield het in de palm van haar hand. 'Dat heb je natuurlijk zonder erbij na te denken in je zak gestopt toen je die laatste foto maakte,' zei ze. 'In de rij voor de kaartjes...'

Ik stak mijn hand uit om het fototoestel terug te pakken, maar Kat hield het buiten mijn bereik.

'Hoe vond je dat, Salim,' fluisterde ze tegen de lege kamer, 'toen je merkte dat je in het London Eye was zonder je camera?'

Ik probeerde nog eens om hem te pakken. Maar ze sloeg mijn hand weg. 'Afblijven, Ted! Ik heb hem gevonden.'

Dat is nou echt Kat. Het ene moment zegt ze dat ik zo slim ben, en het volgende moment valt ze me aan en liegt. Het voorspellen van het weer is makkelijker dan voorspellen wat Kat gaat doen. Ze is zelfs onvoorspelbaarder dan a) vulkaanuitbarstingen, b) waanzinnigen en c) terroristische aanvallen. Haar naam klinkt niet voor niets net als de eerste lettergreep van woorden zoals katapult en catastrofe.

Met andere woorden, Kat is een wandelende ramp. Dat zegt Kat over mij als ik dingen laat vallen, maar ik vind dat het eerder voor haar geldt.

Maar soms, als je het echt niet verwacht, is Kat aardig. Toen ik klein was, las ze me voor over pratende beren en magische kleerkasten, en ze nam me mee naar de vijver in het park om naar de jonge eendjes te kijken. Op school komt ze voor me op als ik gepest word op het schoolplein.

Mama zegt dat we een haat-liefdeverhouding hebben. Toen ik een baby was en Kat twee, zag ze Kat een keer over mijn buggy leunen om me over mijn hele gezicht te zoenen. Misschien verzette ik me. In elk geval pakte Kat opeens een haarborstel en mepte me daarmee op mijn hoofd. Mama moest haar wegtrekken om te voorkomen dat ze me doodsloeg.

Toen we ouder werden, zei mama altijd dat we lief moesten spelen. Dan legde Kat haar naakte barbiepoppen met woeste kapsels en ballpointtatoeages op een rij om doktertje te spelen. Ze sneed de barbiepoppen met een nagelschaartje, spoot tomatenketchup op ze en gebruikte wc-papier als verband. Ze zei dat ik moest helpen omdat de patiënt bezig was dood te gaan. 'Geef me de scalpel!' beval ze dan.

'Welke scalpel?'

'Dat maakt niet uit.'

Ik keek om me heen. 'We hebben geen scalpel.'

'Een doe-alsof scalpel, Ted.'

'We hebben geen doe-alsof scalpel, Kat.'

'Ja hoor. Daar bij je hand.'

'Kat, er ligt geen scalpel bij mijn hand. Alleen een rol wc-papier.'

'Jij bent de verpleegster!' schreeuwde ze.

Ik knipperde met mijn ogen. Een verpleegster is een vrouw en ik was een jongen. Ik kon geen verpleegster zijn.

'Probeer mee te spelen, Ted!' zei mama, die vanaf een afstandje toekeek.

Dus deed ik: 'Ta-tie, ta-tie, ta-tie!' terwijl ik de lamp aan- en uitdeed. Daarna was ik altijd de ziekenauto. Maar Kat wilde altijd dat ik de verpleegster was, en misschien bleef ze daarom boos op me. En toen werd mijn syndroom vastgesteld door de artsen.

'Waarom krijgt hij altijd de interessante ziektes?' jammerde ze tegen papa en mama.

Ik herinner me niet wat ze antwoordden.

Op dit moment bestudeerde Miss Catastrofe Salims camera. Ik slikte de hete verontwaardiging weg die omhoog kwam in mijn slokdarm.

'Hij heeft achttien foto's gemaakt,' zei ze. 'Op de brug fotografeerde hij aan één stuk door, weet je nog?'

'Hij heeft een foto van jou en mij gemaakt, Kat. En ik heb het Eye gefotografeerd, vlak voordat die onbekende naar ons toe kwam en ons het kaartje gaf.'

'De onbekende,' zei Kat terwijl ze opkeek. 'Ik vraag me af...'

Ik knikte. Ik had ook over hem nagedacht.

'Denk jij dat we op die foto's een aanwijzing kunnen vinden, Ted?'

'Ik weet het niet.' Ik probeerde nog één keer om de camera aan te raken, maar Kat griste hem weg.

Ze draaide het gladde, zilverkleurige toestel rond in haar hand. 'Ik wou dat het een digitale camera was zoals papa heeft,' zei ze. 'Dan konden we nu meteen de foto's bekijken. Zo'n ouderwets ding moet je op de een of andere manier openmaken.' Ze schudde de camera en haalde haar schouders op. 'Ik weet niet hoe. Je haalt het filmpje eruit en gaat ermee naar een fotozaak om het te laten ontwikkelen. Het kost geld en het duurt een tijdje. Wat een gelazer.'

Ze begon op knopjes te drukken en schudde weer met de camera.

'Ik vind dat we de camera terug moeten geven aan tante Gloria,' zei ik. 'Zij is Salims naaste familie.'

'Wat heeft dat ermee te maken?' zei Kat.

Ik wilde uitleggen dat de naaste familie de eigendommen erft van mensen die gestorven zijn, en dat dit misschien ook geldt voor eigendommen van mensen die verdwenen zijn. Maar toen ging de bel. Kat en ik sprongen op.

'Salim!' zei Kat.

Ze liet de camera op het bed vallen en we renden de kamer uit en de trap af. Mama stond al in de gang en hield de voordeur open, maar het was niet Salim die binnenkwam. Het waren twee volwassenen, een man en een vrouw. De man droeg een uniform en de vrouw niet. Dat betekende het omgekeerde van wat je misschien denkt: de vrouw had de leiding, want zij was van de recherche.

Het was de politie.

11

Foutmarges

De stemming in de woonkamer werd algauw benauwend. Iedereen was beleefd. Iedereen bleef kalm. Maar de sfeer was om te snijden. Dat zeggen mensen als er onzichtbare gevoelens in de lucht trillen, zoals ionen vlak voordat het gaat onweren.

Mama en tante Gloria zaten op de bank. Tante Gloria had een glas cognac in haar hand. Papa stond bij de deur, tegen de muur geleund. Kat en ik stonden naast hem. De politieagent in uniform, een brigadier, zat aan tafel en maakte aantekeningen. Zijn meerdere, de vrouw, had een stoel gepakt en zat midden in de kamer. Ze was klein en tenger en droeg een blauwe rok, een blauw jasje en een witte bloes. Haar ogen flitsten als bliksem door de kamer.

Eerst zei ze dat ze inspecteur Pearce was en de leiding had over het onderzoek naar Salims verdwijning. Daarna stelde ze vragen. Wie iedereen was, waarom tante Gloria hier op bezoek was en waarom ze naar New York wilde verhuizen. Daarna vroeg ze of ze mocht zien wat er in Salims rugzak zat. Ze haalde zijn spullen er één voor één uit. Ik lette goed op, want in detectiveverhalen is wat mensen wel of niet achterlaten vaak een aanwijzing voor waar ze naartoe zijn gegaan. In de rugzak zat een extra trui, een spijkerbroek, een paar sokken, ondergoed, een pyjama, nog een trui en een handdoekje. Daar schoot ik niet veel mee op. Verder was er een gehavend boek met de titel

Moord op 4000 meter, een gids van New York, splinternieuw, zonder vouwen, en een klein adresboekje. Ten slotte zat er een Zwitsers zakmes in en een sleutelhanger met een model van de Eiffeltoren, maar zonder sleutels.

Er waren geen toiletspullen, zoals een tandenborstel, want die lagen nog in de badkamer, herinnerde ik me, op het plankje boven de wastafel.

Inspecteur Pearce hield de lege sleutelhanger omhoog en kneep haar ogen samen. Tante Gloria legde uit dat Salim de sleutelhanger had meegebracht van een schoolreisje naar Parijs, en dat ze haar huis in Manchester had verhuurd en alle sleutels behalve die van haarzelf aan de huurders had gegeven. Op dit moment had Salim helemaal geen huissleutels.

Er viel een stilte.

Toen keek de inspecteur naar Kat en mij.

'Als ik het goed begrijp, waren jullie de laatsten die Salim hebben gezien?' zei ze.

Met een zachte, heel andere stem dan normaal begon Kat alles te vertellen over de onbekende man, het gratis kaartje, en dat we de cabine in de gaten hadden gehouden en hadden gewacht tot Salim weer naar buiten kwam, maar dat hij dus niet was teruggekomen.

'We hadden ze nooit zelf de kaartjes mogen laten kopen,' zei mama toen Kat was uitgesproken.

De inspecteur wuifde met haar hand. Ik weet niet wat dat betekende. Toen keerde ze zich weer naar Kat. 'Je zegt dus dat jullie de cabine in de gaten hebben gehouden?'

Kat knikte.

'Een halfuur hebben jullie niets anders gedaan dan naar boven kijken en het draaien van het London Eye volgen?'

'Nou ja...' Kat dacht na. 'We zijn achteruit gelopen om het

beter te kunnen zien. Als je te dichtbij staat, kun je de cabines niet goed zien rondgaan zonder ze door elkaar te halen. En we hebben wat gekletst.'

'Zonder ze door elkaar te halen,' herhaalde inspecteur Pearce. Ze vouwde haar handen samen en leunde erop met haar kin. 'En we hebben wat gekletst.'

'Gelooft u ons niet?'

'Het is geen kwestie van geloven of niet geloven.'

'We hebben de cabine in de gaten gehouden. Echt waar. We weten het zeker, hè Ted?'

'Hrumm,' zei ik. 'Niet honderd procent zeker, Kat.' Kats ogen werden spleetjes en haar lippen een dunne streep. 'Achtennegentig procent zeker, dat wel,' zei ik.

De inspecteur keek me zonder iets te zeggen aan. Haar mondhoeken gingen omhoog. Dat betekende dat ze het grappig vond. Daarna tikte ze met haar ineengevlochten vingers tegen haar neus. 'Er is dus een foutmarge volgens jou?' zei ze.

'Een kleine, ja,' zei ik. 'Twee procent.'

'Twee procent?'

'Bij elke waarneming door een mens is er een foutmarge,' legde ik uit. 'Dat komt doordat onze zintuigen niet onfeilbaar zijn. Sommige mensen denken zelfs dat honderd procent zekerheid onmogelijk is.' Ik zweeg even en hield mijn hoofd scheef. 'Als mensen kunnen we niet eens zeker weten dat de zon morgen weer opkomt. Die verwachting is alleen gebaseerd op inductie. Dat is een manier van redeneren waarbij we uitgaan van een groot aantal waarnemingen in het verleden om voorspellingen te doen voor de toekomst, bijvoorbeeld over het weer.'

'Dit wil ik niet meer horen,' viel tante Gloria me in de rede. 'Zonsopgang, zonsondergang, draaiende cabines, de toekomst voorspellen. Het is geen kermis. Het gaat over mijn zoon. Mijn enige zoon. Hij wordt vermist. Ik wil weten wat daaraan gedaan wordt.'

'We doen wat we kunnen,' zei inspecteur Pearce. Ze maakte haar handen van elkaar los en streek haar rok glad. 'Ik begrijp dat u het vervelend vindt...'

'Vervelend? Zoals u het zegt, klinkt het alsof ik mijn handtas kwijt ben.'

'Het is nog vroeg. Hij wordt pas een paar uur vermist. In verreweg de meeste gevallen worden jongeren die verdwenen zijn zoals Salim, binnen achtenveertig uur teruggevonden.'

'Achtenveertig uur! Dan missen we onze vlucht naar New York!'

'Achtenveertig uur, maar meestal eerder. We nemen een vermissing van een minderjarige van het begin af aan serieus. Daarom ben ik hier.'

'Hij is geen minderjarige. Hij is mijn zoon.'

Mama sloeg een arm om haar heen. 'Glo...' fluisterde ze.

'We doen wat we kunnen,' zei inspecteur Pearce nog een keer.

'Zoals?' zei papa zacht. Iedereen keek hem aan.

De inspecteur zuchtte. 'We hebben de beelden van de beveiligingscamera's uit de cabines bekeken. Geen enkele camera kan alles of iedereen in beeld brengen, maar zo te zien zijn er die ochtend geen rare dingen gebeurd. We hebben alleen gewone opnamen van gewone toeristen die van het uitzicht genieten. We zijn ook begonnen andere mensen te ondervragen die rond die tijd een rit in het Eye hebben gemaakt. Dat zijn er helaas meer dan driehonderd. En we kunnen alleen de mensen terugvinden die met een creditcard hebben betaald. Wie contant heeft betaald, is voor ons onvindbaar. Maar tot nu toe herinnert niemand zich een jongen die beantwoordt aan het signalement van uw zoon. We hebben ook al gecontroleerd wie er in de ziekenhuizen zijn opgenomen.' Tante Gloria zette grote ogen op bij het woord 'ziekenhuizen'. 'Maar dat heeft niets opgeleverd.'

'Misschien is hij gewoon nog... verdwaald?' zei papa.

'Dat is inderdaad de meest waarschijnlijke verklaring,' zei inspecteur Pearce.

Er viel een stilte. Misschien vroegen ze zich allemaal net als ik af wat 'verdwaald' betekende. Ik stelde me voor dat Salim verdwaald was in de Londense metro, in- en uitstapte, door gangen doolde, aarzelde of hij naar het noorden of naar het zuiden zou gaan, in de war raakte door de kleuren en niet wist dat zwart de noordlijn was – onze lijn. Als ik eerder die dag naast hem had gezeten in de metro, in plaats van Kat, had ik hem kunnen uitleggen dat de kaart van de Londense metro topologisch was en hoe je die moest lezen, en dan zou Salim makkelijk de weg naar huis hebben gevonden en hier misschien al zijn.

'We hebben nog wat meer gegevens nodig,' zei inspecteur Pearce. Ze leunde voorover naar tante Gloria. 'Ik zou u graag een paar persoonlijke vragen willen stellen.'

Mama stond op. 'Kom mee,' zei ze tegen ons. Papa deed de deur open en leidde Kat bij haar elleboog naar buiten, maar tante Gloria greep mama's hand. 'Blijf hier, Faith. Ik heb je nodig. Alsjeblieft.'

Mama ging weer zitten. Ze keek naar me terwijl ik afwachtte of tante Gloria mij ook nodig had. Mama zei iets zonder geluid. Het was alsof ze dacht dat ik doof was en wel kon liplezen. Ik knipperde met mijn ogen. Toen zei ze het hardop. 'Wegwezen.'

Het was de tweede keer die dag dat mama me wegstuurde.

Ik schuifelde achter papa en Kat de kamer uit en liep naar de keuken. Mijn hand fladderde. Papa deed de keukendeur achter me dicht. Zo zou de politie meer te weten komen dan ik. Dat was niet eerlijk. Ik kreeg een zwaar gevoel van binnen, alsof ik meer calorieën had gegeten dan ik nuttig kon verbranden. Kat drukte haar gezicht tegen de ijskast. Er droop een traan over haar wang en ze sloeg met haar vuist tegen de zijkant van haar hoofd. Dit betekende dat ze hetzelfde gevoel had. Het heet 'grote ergernis'.

12

Een flinke puinhoop

De muur tussen onze keuken en de woonkamer is niet erg dik en we konden zachte stemmen horen.

'Nou, Kat,' zei papa. 'En Ted. Dat is een flinke puinhoop.' Dat was een citaat van zijn filmhelden Laurel en Hardy.

Kat begon weer te huilen en leek niet meer te kunnen stoppen. Papa legde een hand op haar schouder, maar dat was geen goed idee, want ze ging er alleen maar harder door huilen.

Door haar gesnik heen probeerde ik te horen wat de stemmen in de woonkamer zeiden. Af en toe ving ik een woord op. 'Salim.' 'Nee.' 'Nooit.' Het was telkens de stem van tante Gloria. Ik begreep dat dit kwam doordat ze a) dichter bij de keuken zat en b) harder praatte dan mama en de inspecteur. Toen verstond ik een hele zin. Dat kwam doordat tante Gloria brulde als de donder.

'Salim zou nooit van me weglopen!'

Ik sloeg mijn handen voor mijn oren en voelde de lucht die ik tegen mijn gezicht drukte. Mijn mond ging open en dicht. 'Hrumm,' zei ik. Papa deed de achterdeur open. Buiten begon het avond te worden. Hij wenkte dat Kat en ik mee moesten komen naar buiten, maar Kat schudde haar hoofd. Dus ging ik in mijn eentje met papa mee. We liepen over het pad naar het schuurtje, langs de lijn met wasgoed dat fladderde in de wind (matig, uit het zuidwesten).

'Papa?' zei ik.

'Ja, Ted?'

'Hoe groot is de kans dat Salim is weggelopen?'

Papa trok een lelijk gezicht. 'Ik zou het best begrijpen als hij het had gedaan.' Toen schudde hij zijn hoofd alsof hij niet meende wat hij had gezegd. 'Ik weet het niet, Ted. Het lijkt me waarschijnlijker dat hij verdwaald is en probeert terug naar huis te komen.'

'Zestig/veertig?'

'Wat?'

'Zestig procent kans dat hij verdwaald is, veertig procent dat hij is weggelopen?'

'Eerder zeventig/dertig. Ik weet het echt niet.'

'Waarom heeft hij zijn telefoon dan niet gebruikt?'

'Misschien is zijn tegoed op.'

'Waarom antwoordt hij dan niet als wij bellen?'

'Misschien is de batterij leeg.'

Papa keek omhoog naar de driekwart maan die opkwam boven het oosten van de stad. 'Ja, ik weet het. Misschien misschien.' Hij zuchtte. 'Salim en je tante Gloria hebben een vreemde relatie, Ted. Ze zit hem de hele tijd op zijn kop en hij geeft haar een grote mond. Toch denk ik dat ze als het erop aankomt, een front vormen.'

'Een front? Bedoel je zoals in de lucht, met slecht weer?'

'Ik wou eigenlijk zeggen dat ze elkaar steunen. Daarom had ik niet gedacht dat hij zou weglopen. Zeker niet in een onbekende stad, waar hij nergens naartoe kan.'

Ik dacht aan Salim die deed of hij vergiftigd was, omdat hij niet naar het kunstmuseum wilde. En ik herinnerde me hoe hij met zijn voet had gestampt toen tante Gloria voorstelde het Eye voor later te bewaren. Ik ben goed in tellen, de tijd opnemen en onthouden. Maar ik vind het moeilijk om te weten of mensen elkaar aardig vinden of niet. Ik heb een lijstje van vijf gezichtsuitdrukkingen om te begrijpen hoe mensen zich voelen. Die heeft meneer Shepherd me geleerd met tekeningen uit strips:

1: Lippen omhoog, veel tanden zichtbaar = heel geamuseerd, blij.

2: Lippen omhoog, geen tanden zichtbaar = licht geamuseerd.

3: Lippen op elkaar, een beetje omlaag = niet geamuseerd, een beetje boos, of verdrietig (moeilijk om het verschil te zien).

4: Lippen stijf op elkaar, ogen samengeknepen = boos.

5: Lippen rond als een O en ogen wijd open = verbaasd.

Ik dacht aan Salim, die vaak onrustig naar de grond keek en soms zijn blik naar de hemel richtte als tante Gloria praatte. Dat paste niet in mijn code van vijf. Ik wist niet bij welk gevoel dit hoorde. Ik dacht eraan hoe hij omhoog tuurde, weer naar de grond keek en zich telkens omdraaide terwijl hij in de rij stond voor het Eye. En ik herinnerde me hoe hij lag te woelen in zijn slaapzak en zuchtte terwijl hij sliep.

Het herkennen van de vijf emoties uit mijn lijstje lukt me nog wel. Maar het is veel moeilijker als ze door elkaar heen lopen. Het is net zoiets als primaire en secundaire kleuren. Blauw en geel zijn makkelijk te herkennen. Maar hoe weet je nou dat je groen krijgt als je ze door elkaar mengt?

'Dus jij denkt dat Salim altijd bij tante Gloria wil zijn en niet zou weglopen?' zei ik tegen papa.

'Nou ja, niet altijd. Bovendien...' Papa streek met een hand door zijn haar, zodat hij eruitzag als Stan Laurel. 'Eigenlijk kennen we tante Gloria niet zo goed. En Salim ook niet. We hebben ze vijf jaar niet gezien.' De mouw van een overhemd aan de lijn woei in zijn gezicht en sloeg rond zijn nek. Hij lachte, wat nog-al vreemd leek met al die problemen. Hij trok de mouw van zich af. 'Misschien zijn ze samen echt een frontale storing, Ted. Wie zal het zeggen? Ik weet alleen dat het een flinke puinhoop is.'

13

Het oog van de orkaan

Kat riep vanuit de keuken dat we weer naar de woonkamer moesten komen. Toen we binnenkwamen, had tante Gloria haar glas cognac op en staarde naar de bodem van het glas, met haar mondhoeken omlaag – dat betekende dat ze verdrietig was. Maar ze fronste haar wenkbrauwen en dus was ze ook boos. Inspecteur Pearce stond op en beloofde dat ze het ons zou laten weten als er nieuws was. Daarna zei ze dat ze nog één vraag had. Had tante Gloria een foto van Salim voor haar? Tante Gloria haalde een creditcardhouder uit haar handtas.

'Dit is de enige foto die ik heb,' zei ze. 'Hij is nogal oud. Maar alle andere zitten in fotoalbums, en die zijn per schip op weg naar New York.' Ze gaf de foto aan de inspecteur.

'Uw zoon is toch dertien?'

Tante Gloria knikte. 'In juli wordt hij veertien.'

'Hoe oud is hij hier?'

'Acht,' zei tante Gloria.

De inspecteur zei dat de politie een nieuwere foto nodig had. 'Die kunt u wel van zijn vader krijgen,' zei tante Gloria. 'Als u contact met hem opneemt.'

Ik herinnerde me Salims vader nauwelijks. Hij was een arts uit India die Rashid heette. Tante Gloria en hij waren jaren geleden gescheiden.

'Moet je Rashid niet bellen, Glo?' zei mama. 'Je kunt nooit

weten. Misschien is Salim naar hem toe. Het is niet uitgesloten.

Tante Gloria schudde haar hoofd. 'Dat zou Salim nooit doen. Bovendien praten Rashid en ik niet meer met elkaar. Salim gaat om de week in het weekend naar hem toe, en dat is het.'

Inspecteur Pearce bestudeerde de knokkels van haar hand alsof er iets mis mee was, maar ik zag geen snee of blauwe plek. 'Wat vindt uw ex ervan dat Salim en u naar New York gaan?' vroeg ze.

Tante Gloria gaf geen antwoord.

'Hij heeft er toch wel iets over gezegd?'

'Niet veel. Ik zei dat hij Salim met kerstmis en in de zomer twee weken mocht hebben. Dat vond hij best.'

Er viel weer een stilte.

'Wie weet?' voegde tante Gloria eraan toe. 'Misschien heeft hij er echt iets mee te maken. Dat bedoelt u toch?'

Inspecteur Pearce stopte het fotootje in haar zak en gaf geen antwoord op de vraag van tante Gloria. 'Dit moet het voorlopig dan maar zijn, samen met uw beschrijving van uw zoon.' Ze stond op. 'Hier is mijn kaartje met het telefoonnummer waarop u me rechtstreeks kunt bereiken. Ik zal het hier op de schoorsteenmantel zetten. Belt u me als Salim thuiskomt of contact opneemt, of als u nog iets bedenkt?'

Tante Gloria haalde haar schouders op, maar papa zei dat we dat zouden doen. Daarna liep hij met haar en de politieman in uniform naar de deur, en ze vertrokken. Ik zag door het raam dat ze in een wit met blauwe politieauto stapten en wegreden. Mama vroeg of Kat haar even hielp om boterhammen klaar te maken. Tante Gloria nam nog een glas cognac. Papa kwam terug en maakte een fles wijn open. Het leek wel kerstavond. Alleen was het al laat en toch nog licht buiten, en niemand maakte grappen of deed vrolijk.

'Vinden jullie het goed als ik rook?' vroeg tante Gloria.

Niemand gaf antwoord. Dat vatte ze op als toestemming. Ze stak een sigaret op en rookte zwijgend, zelfs toen Kat een bord met boterhammen met kaas en sla op haar schoot zette. Ze inhaleerde en blies de rook uit, terwijl ze voor zich uit staarde. Behalve haar arm die het sigarettenpijpje gemiddeld om de twaalf seconden naar haar lippen bracht, zat ze onbeweeglijk. Het was een vreemde stilte. Het drong tot me door dat tante Gloria vanaf het moment dat ze bij ons was gekomen, bijna geen moment niet gepraat of bewogen had.

'Hèhè,' zei mama nadat iedereen wat van zijn boterhammen naar binnen had gewerkt. (Ik: twee. Papa: twee. Mama: één. Kat: een halve. Tante Gloria: niets.)

'Hèhè,' zei papa. Ik verwachtte eigenlijk dat hij weer 'Dat is een flinke puinhoop' zou zeggen, maar hij deed het niet.

'Hoe ging je werk vandaag, Ben?' zei mama. Dat vraagt ze hem elke dag.

'Mijn werk?' zei papa. Hij haalde zijn schouders op. 'Goed. De Barak is leeg en afgesloten. De betonvergruizers beginnen donderdag. Ik heb een nieuwe klus, in Peckham.'

'Peckham?' herhaalde mama. Ze leek niet erg geïnteresseerd en staarde voor zich uit.

'Ja, Peckham Rye.'

Er volgde weer een lange stilte. Kat draaide telkens een haarlok rond haar pink en wikkelde hem dan weer af. Ik wilde haar vragen wat ze probeerde te doen, maar ze zag me kijken en trok een lelijk gezicht. Daarom zei ik: 'O ja, over Salim...'

Iedereen schrok.

'Ik heb een paar interessante theorieën. Zal ik...'

'Sst, lieverd,' zei mama. 'Dit is niet het goede moment voor jouw theorieën.'

Daarna viel er een diepe stilte in de woonkamer. Ik hoorde het ruisen van de centrale verwarming. In de keuken drupte een kraan. Papa rinkelde met losse munten in zijn zak. Ik vroeg me af wat dit voor stilte was als je het met het weer vergeleek. Het was in elk geval niet de stilte na de storm. Misschien was het de stilte midden in de storm: het oog van de orkaan. Ik stelde me een snelle, donkere wervelwind voor, met in het midden een kalme, ovalen stilte als een fietswiel dat je onder een hoek ziet: het London Eye. Mama schuifelde met haar voeten. De centrale verwarming hield op met ruisen. Mama zei dat het bedtijd was.

'Het is pas negen uur,' protesteerde Kat. 'Ik slaap trouwens hier op de bank, weet je nog?'

'Hou je mond, Kat.' Mama stond op, liep naar het raam en keek naar buiten. Ze deed de gordijnen dicht. 'Voor één keer mag je bij de Ted op de kamer slapen, op het luchtbed waar Salim...'

Ze maakte haar zin niet af. Maar we deden het allemaal in ons hoofd. Waar Salim vannacht heeft geslapen. Tante Gloria kreunde zacht en boog zich naar voren over haar glas alsof ze misselijk werd. We dachten allemaal hetzelfde. Waar zou Salim vannacht slapen in deze grote, donkere, gevaarlijke stad?

14

Acht theorieën

Toen ik 's avonds in bed lag, probeerde ik niet te letten op het geschuifel nog geen meter van me vandaan. Ik rook shampoo en hoorde een ademhaling die me aan een onrustige panter deed denken. Het was Kat, die op het luchtbed lag waarop Salim de vorige nacht had geslapen. Door het open raam kwamen de geluiden van de stad de kamer binnen. Vrachtauto's daverden over de hoofdweg. Vliegtuigen kwamen met brullende motoren over. Ik stelde me voor dat zich een grote aambeeldvormige wolk vormde boven Zuidoost-Londen en dat er warme lucht opsteeg in convectiestromen. De hogere luchtlagen waren onstabiel.

Ik kan 's avonds vaak niet in slaap komen, omdat mijn hoofd vol zit met alle rare gebeurtenissen in de wereld. Dan doe ik mijn leeslamp aan en luister op de radio naar het weerbericht voor de scheepvaart, met het geluid heel zacht. Ik haal mijn weerboeken tevoorschijn. Ik bestudeer de kaarten met isobaren en isothermen. Ik bekijk foto's van wat het weer achterlaat: opgedroogde meren, platgegooide slopenwijken, aardverschuivingen, mensen die in bootjes rond de daken van hun huizen roeien. En ik maak plannen om later als ik groot ben de mensen te helpen om zich op de rampen voor te bereiden en hun leven en geld te redden, en regeringen adviezen te geven over hoe ze met het weer moeten omgaan.

Maar vanavond kon ik het licht niet aandoen vanwege Kat. Ik denk dat de moleculen in mijn hersenen op hol sloegen, want ik kon alleen maar aan dodo's denken die Lord Lucan achterna zaten, die wegvoer aan boord van de Mary Celeste, onder een avondhemel met een reusachtig fietswiel als maan. Ik zag Salim zwaaien vanaf het dek, zoals hij de laatste keer had gezwaaid toen hij in de cabine van het London Eye stapte. Ik hoorde de stem van tante Gloria zeggen dat het mijn idee was geweest om naar het London Eye te gaan, maar dat was niet waar. Ik zag mama's hand die me wegjoeg als een vlieg.

'Ted.' Kat was ook wakker. 'Ted.'

'Hrumm. Wat is er?'

'Ben je wakker?'

'Ja.'

'Ik ook.' Ze ging rechtop zitten en ik zag dat ze haar arm uitstak naar het bedlampje. Ze drukte op de schakelaar en we keken elkaar knipperend aan. 'Zo gaat het niet. We moeten erover praten.' Ze sloeg haar handen om haar opgetrokken benen en legde haar hoofd op haar knieën. Haar bruine haren vielen in slordige slierten over haar schouders.

'Hrumm,' zei ik.

'Ja, hrumm,' zei ze.

Het duurde even voordat ik begreep dat ze me nadeed.

Ze glimlachte. 'Als ik net zo klink als jij, kan ik misschien ook denken zoals jij.'

'Ik denk niet dat denken zoals ik beter is dan denken zoals jij,' zei ik.

We luisterden naar het tikken van mijn wekker.

'Ted, wat vind jij het raarst aan Salims hele verdwijning?'

'Dat hij is verdwenen uit een afgesloten cabine,' zei ik.

Kat knikte. 'Hij is omhooggegaan in het Eye en niet omlaaggekomen.'

'Heel raar,' zei ik.

'Maar niemand anders schijnt dat te begrijpen – de politie niet, papa en mama niet, en tante Gloria niet. Ze luisteren niet naar wat we zeggen, en beweren dat we niet goed hebben opgelet en hem op de een of andere manier hebben gemist. Maar dat kan toch niet?'

'Het is wel mogelijk, maar niet waarschijnlijk,' zei ik. 'We hebben twee cabines zien leeglopen voordat die van hem omlaagkwam, en ook nog een paar erna. Ik heb op mijn horloge gekeken hoelang hij boven was. Dus is er maar een heel kleine foutmarge.'

'Wat is er dan gebeurd? Waar is hij gebleven?'

'Ik heb acht verschillende theorieën,' zei ik.

Kat was onder de indruk. 'Acht verschillende theorieën?'

'Ja, acht. Een ervan moet juist zijn, tenzij ik een of meer theorieën over het hoofd heb gezien.'

'Zal ik ze opschrijven?' Kat greep een vel papier van mijn bureau en ik dicteerde haar mijn theorieën. Kat schreef ze op en schreef er telkens bij hoe waarschijnlijk zij ze vond:

1 Salim heeft zich verstopt in de cabine (misschien onder een bank) en is drie of meer keren rondgegaan. Hij is pas uitgestapt toen we niet meer keken. (Zou kunnen. De moeite waard om uit te zoeken.)

2 Teds horloge liep niet gelijk. Salim is uitgestapt toen wij er niet waren. (Onwaarschijnlijk. Teds horloge staat nu op 23.43, en zijn wekker ook. Dus zijn horloge loopt vast gelijk. Ted zegt dat hij het vandaag vijf keer heeft vergeleken met de klok van Big Ben.)

3 Salim is gewoon uitgestapt, maar we hebben hem toevallig niet gezien en hij ons ook niet. Dat denken onze ouders en de

politie. (Maar volgens ons is er hoogstens twee procent kans dat het zo is gegaan. We hebben allebei goed gekeken naar iedereen die naar buiten kwam, en er waren nooit veel mensen tegelijk. Bovendien moet Salim ons dan ook over het hoofd gezien hebben, tenzij...)

4 Salim heeft ons met opzet vermeden of leed aan geheugenverlies. Deze theorie betekent dat hij wilde weglopen of misschien een klap op zijn hoofd heeft gehad en ons op de een of andere manier is vergeten. (Maar we stonden daar te kijken naar iedereen die naar buiten kwam, en we weten nog steeds niet hoe we hem over het hoofd konden zien, zelfs als hij niet wilde dat we hem zagen, of was vergeten hoe we eruitzagen. Dus dit is even onwaarschijnlijk als 3.)

5 Salim is door zelfontbranding verdwenen. (Ik heb hier nog nooit van gehoord, maar Ted schijnt te denken dat mensen soms in rook opgaan. Hij zegt dat het niet vaak voorkomt, maar dat hij erover gelezen heeft en dat het werkt als een plaatselijke onweersbui. Het zal wel. Weinig kans op. Telt amper.)

6 Salim is in vermomming uitgestapt uit de cabine. (Mogelijk, maar als je denkt aan de andere mensen die uitstapten – de Japanse toeristen, vrouwen, kleine kinderen en zo – heel onwaarschijnlijk. Degene die nog het meest op Salim leek, was de vriend van het meisje in het roze jack. Maar hij was zwaarder, met een veel dikker gezicht. Dat was Salim echt niet. Trouwens, hoe had hij zich kunnen verkleden zonder dat iemand in de kleine cabine het merkte?)

7 Salim is door een ruimtetijdvervorming in een andere tijd terechtgekomen, of misschien zelfs in een parallel universum. (Waarschijnlijkheid nul, net als theorie 5.)

8 Salim heeft zich bij het verlaten van de cabine verstopt onder de kleren van iemand anders.

Toen we aan deze laatste theorie toe waren, keek Kat me over haar pen aan. Ze nam niet eens de moeite haar commentaar op te schrijven.

'Weet je nog hoe Laurel en Hardy in *The Flying Deuces* bijna uit het kamp van het vreemdelingenlegioen ontsnappen?' zei ik. Naar die film kijken we elk jaar met kerstmis, samen met papa. Ollie, de Dikke, heeft liefdesverdriet. Het meisje waarvan hij houdt, houdt niet van hem, en hij wil haar vergeten. Een man zegt dat hij haar vast vergeet als hij bij het vreemdelingenlegioen gaat. Dat doet hij dus, en Stan, de Dunne, ook. Maar het is niet fijn in het vreemdelingenlegioen. Ze moeten zo'n grote berg kleren wassen dat ze daar de rest van hun leven voor nodig zouden hebben. Daarom besluiten ze te ontsnappen.

'Weet je het niet meer?' zei ik. 'Ze verstoppen zich onder de wijde kleren van een stel Arabieren die naar de poort lopen...'

'Ja, ik herinner het me,' zei Kat. 'En dat is het stomste van de hele film.'

'Maar weet je nog die Afrikaanse vrouwen?' zei ik. 'Ze hadden heel wijde jurken aan. En er was ook een grote man met een lange regenjas.'

'Nou, vooruit dan maar.' Ze rolde met haar ogen zodat ik alleen nog het wit zag. Daarna schreef ze bij theorie 8: (Kan Ted zich in mijn kleren verstoppen zonder dat mama het merkt? Ik denk het niet. Maar we kunnen het proberen.)

Kat bekeek het lijstje. 'Het ziet er niet erg veelbelovend uit. Weet je zeker dat er geen betere theorieën zijn? Anders moeten we maar aanvaarden dat de politie en de anderen gelijk hebben.'

Ik dacht hard na. Toen kreeg ik een ingeving, zoals ze dat noemen. Een ingeving is een idee dat uit het niets lijkt te komen. Vroeger dachten de mensen dat een ingeving van God of de goden kwam (het hing ervan af of ze in één god of in een heleboel goden geloofden). 'Er is nog een negende theorie,' zei ik, en mijn hand fladderde.

'Toch niet iets geschifts zoals ruimtewezens die Salim omhoog stralen naar hun ruimteschip of hem naar een andere dimensie flitsen of...'

'Nee, het is niet geschift,' zei ik. 'Eigenlijk denk ik dat het de beste theorie is van allemaal.'

Maar voordat ik kon zeggen wat het was, ging de telefoon.

15

Het oneindige

Toen de telefoon voor de tweede keer overging, waren we al bij de deur. Kat wrong zich langs me heen en stootte me met haar elleboog in mijn maag. Bij de derde rinkel stonden we op de overloop. We hoorden papa opnemen met de telefoon in de slaapkamer van hem en mama. We durfden niet naar binnen te gaan, maar we probeerden mee te luisteren. Maar papa heeft een zachte stem en ik verstond niets. Tante Gloria kwam in een lichtblauwe zijden nachtjapon struikelend uit Kats kamer. Haar ogen waren wijd open en haar haar zat in de war. 'Salim!' fluisterde ze. Ze klapperde met haar tanden alsof ze het koud had, hoewel de temperatuur die nacht niet beneden de vijftien graden zou zakken.

Ze gooide de deur van de slaapkamer van papa en mama open op het moment dat papa de hoorn neerlegde.

'Salim?' zei ze weer.

'Nee,' zei papa. 'Het was Salim niet. Het was de politie.'

'Hebben ze hem gevonden? Alsjeblieft, zeg dat ze hem hebben gevonden.'

'Ze weten het niet zeker...'

Kat pakte mijn arm vast en kneep hard. Haar mond was zo rond als een O. Een heel grote O. Ze staarde naar papa's gezicht en iets wat ze zag had haar laten schrikken. Daarom keek ik ook naar papa. Ik zag dat zijn lippen en wenkbrauwen vreemde bewegingen maakten. Op zijn voorhoofd verschenen kleine zweetdruppeltjes. Zo had ik hem nog nooit zien kijken.

'Hoe bedoel je – ze weten het niet zeker? Ze hebben hem gevonden of ze hebben hem niet gevonden,' zei tante Gloria. Er zat een vreemde hapering in haar stem.

'Ik... ik zal het uitleggen,' zei papa. 'Ze hebben iemand gevonden. Niet ver van het London Eye. Bij de rivier. Een jonge Aziatische jongen.'

Zie je wel, dacht ik, en ik herinnerde me theorie 4. Ze hebben iemand gevonden die zijn geheugen kwijt is en niet meer weet wie hij is. Hij heeft de hele dag rondgezworven zonder te weten waar hij naartoe moest.

'Dat moet hem zijn,' zei tante Gloria. 'Waarom hebben ze hem niet meteen hier gebracht?'

'Dat kon niet,' zei papa. 'Want, weet je, die jongen – het kan echt iedereen zijn, iedereen – die jongen... die jongen is...'

Ik verwachtte dat hij zou zeggen dat de jongen zijn geheugen kwijt was of misschien dat hij door de klap op zijn hoofd in het ziekenhuis lag en dat het beter was om hem nog niet te verplaatsen. Ik verwachtte niet wat hierna kwam.

'De jongen ligt in het lijkenhuis.'

Ik zal niet te veel zeggen over wat er daarna gebeurde. Tante Gloria gaf over op het kleed. Mama sprong uit bed. Ze snikte en omhelsde tante Gloria, terwijl ze zei dat het Salim echt niet kon zijn. Papa begon kleren aan te trekken over zijn pyjama en Kat stond stil en kneep me. Ik draaide me om naar de deur en begon erop te bonken. Papa legde een hand op mijn arm en het volgende moment was de politie er al en nam papa mee om te gaan kijken naar die jonge Aziatische jongen in het lijkenhuis, die wel of niet Salim was. Tante Gloria was te misselijk om te gaan. Ze lag op de bank, met een deken over zich heen, en zei telkens:

'Salim, Salim, laat jij het niet zijn op die koude tafel, Salim, Salim...' Haar tanden klapperden en mama zat op de leuning van de bank en streelde haar haren.

Toen deed Kat iets dappers. Ze zette een pot thee, hoewel haar handen erg trilden. Zo is Kat. Verschrikkelijk bij kleine problemen, zoals de bus missen of tien cent te weinig hebben voor een cd die ze wil hebben, maar goed bij grote problemen, zoals toen mama vorig jaar geopereerd werd. Ze maakte diepvriesmaaltijden voor ons klaar en terwijl we ze opaten, vroeg ze papa hoe het op zijn werk was geweest. En toen mama weer thuis was, holde ze de trap op en neer met kopjes thee, bloemen en tijdschriften. Mama zei dat ze niet wist hoe ze zich zonder haar had moeten redden.

De anderen dronken thee in de woonkamer, terwijl ze wachtten tot papa terugkwam. Mama moest de mok aan tante Gloria's lippen zetten om haar te laten drinken, alsof ze een baby was. Ik nam mijn thee mee naar boven naar mijn kamer. Op mijn bureau vond ik het lijstje met theorieën en de foto die Kat bij het Eye had gekocht. Ik staarde ernaar zonder ze te zien. Dover Wight Portland, dacht ik, noordwest zes tot acht, beginnende storm...

Vanaf het moment dat papa met de politie de deur uitging, duurde het precies vierenvijftig minuten tot hij weer terugkwam. Dat zijn 3240 seconden. Ik heb ergens gelezen dat je hersenen vertragen als je ouder wordt. Daardoor denk je dat de tijd sneller gaat. Dus misschien duurden die 3240 seconden voor mij het langst. Maar Kat zei later dat ze voor tante Gloria vast nog langer leken dan voor mij. Hoe ellendiger je je voelt, hoe langzamer de tijd gaat, volgens haar. En tante Gloria voelde zich vast het ellendigst van ons allemaal, want het was haar zoon die misschien wel en misschien niet op die koude tafel lag.

Een jonge Aziatische jongen.

Wel of niet Salim.

In die vierenvijftig minuten gebeurde er iets vreselijks. Geen weerbericht voor de scheepvaart kon voorkomen dat ik eraan dacht. De dood. Ik begreep opeens dat die echt bestond. Op een dag zou ik doodgaan. Kat zou doodgaan. Mama zou doodgaan. Papa zou doodgaan. Tante Gloria zou doodgaan. Meneer Shepherd van school zou doodgaan. Alle levende wezens op deze planeet zouden doodgaan. Dat stond vast. Je wist alleen niet wanneer. Natuurlijk had ik altijd wel geweten dat de dood bestond. Maar tijdens die vierenvijftig minuten drong het echt tot me door. Ik begreep dat er twee soorten kennis zijn: oppervlakkig en diep. Je kunt iets weten in theorie, maar niet in het echt. Je kunt een deel van iets weten, maar niet alles. Kennis kan zijn als het vliesje op het water in een vijver, of doordringen tot de modder op de bodem. Het kan het topje van de ijsberg zijn, of de volle honderd procent.

Ik dacht aan de lange ketting van alle dagen van mijn leven en vroeg me af hoe ver ik al was. Was ik nog aan het begin, halverwege, of dicht bij het eind? Als het Salim was op de koude tafel, wist hij vanochtend toen hij opstond dan al dat hij de laatste schakel van de ketting had bereikt?

Ik dacht na over God en onsterfelijke zielen en de eeuwigheid. Ik herinnerde me dat dominee Russell me jaren geleden in de kerk had verteld dat God mij had gemaakt. 'Als God mij heeft gemaakt, wie heeft God dan gemaakt?' vroeg ik hem. Dominee Russell glimlachte en zei dat ik een geboren theoloog was, maar hij gaf geen antwoord op mijn vraag. 'Heeft een andere God hem gemaakt?' vroeg ik. In gedachten zag ik een hele reeks Goden die telkens door de vorige God waren gemaakt – zo terug tot in het oneindige. Dominee Russell kwam naast me zitten en zei: 'Er is maar één God, Ted. Eén God die er altijd is geweest. Hij bestaat buiten de tijd. Hij gaat ons begrip te boven. Hij is altijd bij ons.'

Ik dacht na over deze God die we niet konden begrijpen. Ik deed mijn ogen dicht en probeerde me hem voor te stellen. Maar hoe hard ik ook dacht, ik zag alleen wolken verwarring in een uitgestrekt en stil heelal. Als ik mijn trampoline nog had gehad, zou ik extra hard en extra hoog hebben gesprongen.

Na 3240 seconden kwam papa binnen door de voordeur. Ik ging naar beneden, maar ik was een andere Ted dan toen ik naar boven ging. Ik had de dood aangekeken. Toen ik papa zag, wist ik dat hij ook de dood had gezien. Zijn ogen staarden ver weg in diezelfde uitgestrekte ruimte.

Mama, tante Gloria en Kat stormden op hem af. 'Nee,' zei hij terwijl hij ze alle drie tegelijk omhelsde. 'Maak je geen zorgen. Het was Salim niet. Het was iemand anders. Een andere jongen.' Hij keek over hun hoofden heen naar mij en ik keek terug. Ik wist dat we hetzelfde dachten. Die iemand anders, de jongen-die-Salim-niet-was, de jonge Aziatische jongen op de koude tafel... Als hij Salim niet was, wie was hij dan?

Er werd gegild, gehuild, gelachen. 'Goddank,' riepen de anderen. 'Ik wist dat hij het niet was. Ik zei het toch.' Maar ik zei niets. Papa stond zwijgend in de drukte en schudde met zijn hoofd.

Toen zei hij zacht: 'Het was een jongen. Een straatjongen, misschien iets ouder dan Salim, maar kleiner, bruin en mager, met een snorretje zoals Salim had toen hij hier kwam...'

'Voordat hij het afschoor!' zei Kat.

'Met net zo'n zwarte spijkerbroek. En een soort verloren onschuld op zijn gezicht. Een jongen die nooit veel heeft gehad, zou ik zeggen. Er zat vuil onder zijn nagels, en hij had blauwe plekken op zijn arm...'

Papa schudde zich uit alsof hij ontwaakte uit een nachtmerrie.

'Hoe is hij gestorven, papa?' vroeg Kat.

Hij gaf geen antwoord. 'Ik moet iets drinken, Faith,' zei hij. 'Whisky.'

Kat nam me bij de arm. 'Kom mee, Ted,' fluisterde ze. Ik hoorde tante Gloria weer huilen, maar nu zachtjes. Kat ging terug naar boven en ik liep achter haar aan. Kat kroop zonder iets te zeggen op het luchtbed en ik stapte in mijn bed. De jongen op de koude tafel, een straatjongen. Ik deed het licht uit en luisterde naar Kats ademhaling, die bewees dat ze nog leefde. Vuil onder zijn nagels, wel of niet Salim.

De woorden maalden door mijn hoofd als een eng kinderliedje dat voortging tot in het oneindige. Het duurde lang voor ik in slaap viel.

16

Bewolkt

De volgende dag werd ik vroeg wakker. Ik keek uit het raam en zag een dik wolkendek boven Londen. De vochtigheid was 's nachts toegenomen. Als ik die ochtend de weerman was geweest, zou ik gezegd hebben dat er een lagedrukgebied naderde uit het westen, met isobaren dicht naast elkaar en kans op onweer.

Kat was al op. Ze zat aan mijn bureau en legde het lijstje theorieën aan de ene kant en de foto die ze bij het Eye had gekocht samen met Salims fototoestel aan de andere kant. 'Dit zijn theorieën,' zei ze. 'En dit zijn aanwijzingen. Ik heb vannacht nagedacht, Ted. Ik heb een plan.'

Ik ken die plannen van Kat. Dan moeten we altijd dingen doen die papa en mama hebben verboden.

Ik schuifelde naar haar toe. 'Een plan?' zei ik.

'Drie plannen. Eerst laten we dit filmpje ontwikkelen. Misschien geven de foto's ons een nieuwe aanwijzing. Je kunt nooit weten.'

Ik knikte. Dat leek een goed idee.

'Daarna testen we theorie 8.'

Ik wist niet zeker wat ze bedoelde, maar ik zei niets.

'En dan maken we een rit in het Eye.'

Ik dacht hierover na. Teruggaan naar de plaats waar Salim was verdwenen, was een goed idee. Als de speurder in een detectiveverhaal teruggaat naar de plaats van de misdaad, vindt hij bijna altijd een aanwijzing die de gewone politie over het hoofd heeft gezien. Maar er was een probleem.

'Mama vindt het vast niet goed,' zei ik.

'Als ze nee zegt, gaan we er stiekem vandoor.'

'Dat mogen we niet doen, Kat. Bovendien hebben we geen geld voor de kaartjes.'

Kat pakte haar rugzak met het luipaardmotief en haalde een paar bankbiljetten en drie munten van een pond tevoorschijn. 'Mama en tante Gloria hebben me gisteren dit geld gegeven. Weet je nog? Voor vijf kaartjes. De foto kostte zeven pond. Dit is wat er over is.'

'Moet je het niet teruggeven aan mama, Kat? Stelen is slecht. Dat staat in de bijbel.'

'Zeur niet, Ted. Ze heeft er niet om gevraagd. Ze is het vergeten.'

'Hrumm,' zei ik.

Kat haalde haar schouders op. 'Mama vindt dat het mijn schuld is dat Salim weg is. Nou goed. Ik geef haar het geld terug. Over een tijdje. Het is een lening. Geen diefstal.'

Ze liep naar het raam, gooide het wijd open en leunde naar buiten. Ze hield Salims camera voor haar oog en klikte achttien keer. Ze maakte achttien foto's van onze achtertuin met de was aan de lijn en daarachter het schuurtje. Het leek me niet dat dit erg interessante opnamen zouden worden. Toen ze uitgeklikt was, spoelde het filmpje vanzelf terug. Ze bekeek de camera zorgvuldig.

'Gevonden!' zei ze. Ze drukte op een knopje aan de zijkant, en de achterkant van de camera sprong open. Ze schudde het filmpje eruit.

'Dat is plan A,' zei ze. 'Nu plan B.'

Ze trok haar lange kimono aan over haar pyjama en hield de achterkant van de kimono omhoog over haar arm.

'Kom op,' zei ze.

Ik staarde haar aan.

'Wil je je theorie niet uitproberen?' zei ze. Ze pakte het lijstje met acht theorieën en las de laatste voor, over Salim die zich had verstopt onder de kleren van iemand anders. Nu het zover was, had ik weinig zin om onder Kats kimono te kruipen.

'Hrumm,' zei ik.

Ze pakte mijn elleboog vast en trok me mee de trap af. In de gang dwong ze me om achter haar te hurken en sloeg de achterkant van de kimono over mijn schouders. Ze legde mijn handen rond haar middel en we liepen even heen en weer om te oefenen. Toen liepen we de keuken in. Het deed me denken aan de keer dat papa de achterste helft van een ezel had gespeeld bij een pantomime op school. Ik kon horen, maar niet zien, dat mama glazen van de vorige avond afwaste. Blijkbaar keek ze om.

'Hallo, Kat,' zei ze, en het klonk als een zucht. 'Wat doet Ted in vredesnaam onder je kimono?'

Ik kwam tevoorschijn en stond op, terwijl ik met mijn ogen knipperde.

'Zie je wel,' zei Kat.

'Is dit een grap?' vroeg mama.

'Nee, we testten een theorie van me,' zei ik. 'Hoe Salim uit de cabine kan zijn gekomen zonder dat wij het zagen. Dit is maar een van de acht...'

Mama keek me aan, en toen keek ze naar Kat. Ze had een vuil glas in haar hand. Ze liet het terugvallen in het sop. Ze trok haar afwashandschoenen uit.

'Kat,' zei ze, 'maak jij dit even af?'

Het was een gewone vraag, maar haar gezicht leek wel Siberische permafrost.

Kat nam zonder iets te zeggen het afwassen van haar over. Mama liep naar de woonkamer en ging heel stil zitten. 'Ted,' riep ze, 'ik wil met je praten.'

Ik zat in de problemen. Maar ik wist niet waarom. 'Hrumm,' zei ik. Ik liep ook naar de woonkamer en ging voor haar staan.

'Ted,' zei ze. Ze streek met haar linkerhand over haar voorhoofd. 'Jij met je theorieën. Salim is weg, Ted. Het is geen spelletje.'

'Geen spelletje,' herhaalde ik.

'Ik geloof niet dat je begrijpt hoe erg het is.'

'Erg,' bevestigde ik.

'Herhaal niet telkens wat ik zeg!'

'Hrumm.'

'Niet grommen. Dat heb ik al zo vaak gezegd. Weet je nog?'

'Het spijt me.'

'En kijk me aan als ik tegen je praat!'

Met veel moeite bewoog ik mijn ogen zodat ik niet meer naar mama's schouder keek, maar naar haar gezicht. Haar ogen waren klein, haar huid was bleek en haar mondhoeken hingen omlaag.

'Ted.' Ze leunde naar voren en raakte mijn hand aan. 'Denk eens na. Als tante Gloria je nou gezien had? Hoe zou zij zich dan hebben gevoeld?'

Mijn hand begon te schudden. 'Ja, maar mama. We hebben acht theorieën. En...'

'Nee, Ted.'

Mijn hoofd draaide opzij. Ik keek naar de krullen van het kleed. Mijn hand fladderde steeds harder. Meestal is mama in dit huis juist degene die me begrijpt. Ze heeft het al zo vaak voor me opgenomen. Als ik mijn theorieën over weersystemen, of andere bijzondere verschijnselen in ons heelal, probeer uit te leggen en Kat zegt dat ik mijn mond moet houden, is het mama die tegen Kat zegt dat ze niet zo onaardig moet doen. Maar sinds Salims verdwijning was het net andersom. Kat luisterde naar me. En mama niet.

Ik hoorde Kat in de keuken bezig met pannen en borden. En toen deed ik iets wat ik nog nooit had gedaan. Ik gaf mama geen antwoord. Ik zei niet eens hrumm. Ik ging terug naar de keuken. Ik pakte een glas uit het afdruiprek en gooide het stuk op de grond.

Kat keek me met grote ogen aan.

'Wat krijgen we nou?' jammerde mama, die achter me aan naar de keuken kwam. 'Ons beste kristal.'

'Sorry, mama,' zei Kat. 'Ik heb het gedaan. Niet Ted. Het glipte uit mijn handen.'

Maar mama had het zien gebeuren. We keken allemaal naar de glasscherven op de grond en ik deed hrumm en mijn hand fladderde en ik stopte er niet mee en mama zei niet dat ik moest stoppen. Ze keek zwijgend toe terwijl Kat een veger en blik pakte en de scherven opruimde. Toen ging ze op een stoel aan de keukentafel zitten, met haar hoofd in haar handen. Ik wist dat ik haar verdrietig had gemaakt, en ik wilde terug naar mijn kamer.

Toen kwam papa binnen. Hij had een spijkerbroek en een oud overhemd aan. Dat betekende dat hij dacht dat het weekend was en dat hij niet naar zijn werk hoefde, maar dat moest hij wel want het was dinsdag. Hij liep naar het aanrecht, schoof Kat opzij, pakte de beker die ze net had afgewassen, draaide de koude kraan open, liet de beker vollopen en dronk hem achter elkaar leeg. Daarna vulde hij de beker nog een keer en dronk hem weer in één teug leeg. Kat stootte me aan en knikte met haar hoofd. Op de ijskast stonden twee wijnflessen, een halfle-ge fles cognac en een whiskyfles waarvan een derde was opge-dronken. Ik herinnerde me dat ik eens gelezen had dat je van alcohol dorst krijgt, ook al is het een vloeistof. Als je ergens op zee drijft en alleen vaten wijn hebt maar geen water, zijn er twee dingen die je beslist niet moet drinken: wijn en zeewater.

(Trouwens, er is nog een derde vloeistof die je niet mag drin-ken. Misschien kun je wel raden wat ik bedoel.)

'O,' zei mama. 'Er gaat iemand vandaag niet naar zijn werk.' Ik keek de kamer rond en vroeg me af wie ze bedoelde.

Papa goot nog een beker water naar binnen. 'Die iemand heeft zich al ziek gemeld. Ik voel me beroerd. Echt waar, Fai. Waar is Gloria?'

'Die slaapt nog.'

'Dank u, Heer, voor deze kleine zegeningen.'

'Papa...' begon Kat. 'Mama...' Ze liet het afwaswater weglo-pen, pakte de beker uit papa's hand, spoelde hem om en zette hem in het afdruiprek. 'Ted en ik...' zei ze. 'We vroegen ons af... We willen vandaag graag de stad in.'

Mama tuitte haar lippen en rolde met haar ogen. 'Na wat er gisteren is gebeurd, en nu Ted net dat glas gebroken heeft? Geen sprake van. Jullie blijven binnen. Allebei.'

'Maar...'

'Niets te maren.'

Papa schraapte zijn keel. Hij nam mama bij de arm en leidde haar naar de woonkamer. Hij deed de deur achter zich dicht. Ik hoorde ze zacht ruziën. Kat boog zich naar me toe en fluisterde: 'Papa staat aan onze kant! Ik weet het zeker. Hij haalt mama over om ons de stad in te laten gaan. Je zult het zien.'

Kat had gelijk. Drie kwartier later liepen zij en ik het huis uit, samen met papa. Mama nam in de gang afscheid. Toen ik langs haar liep, schoten haar armen naar voren, en ze omhelsde me. Heel even maar, want ze weet dat ik niet van omhelzingen houd. Ik zag haar gezicht van dichtbij en het was rood en vlekkerig. Dat betekende dat ze had gehuild en nog steeds verdrietig was. 'Fijne dag, allemaal,' zei ze. Papa nam zijn mobieltje mee voor als de politie belde.

Terwijl we naar het metrostation liepen, vroeg papa: 'Waar willen jullie naartoe?'

'Het wetenschapsmuseum,' zei ik.

Kat schopte me tegen mijn schenen. Dat was niet aardig. 'Nee hoor, ik wil eerst naar het winkelcentrum, papa,' zei ze.

'Toch niet om nog meer cd's te kopen?'

'Nee hoor, ik moet alleen even naar de drogist.' Ze stak haar hand uit en wapperde met haar vingernagels, die zilver gelakt waren. 'Voor nagellakremover.'

'Hoe eerder hoe beter,' zei papa. 'Met die rotzooi ben je net een ruimtewezen uit een B-film.'

Terwijl Kat binnen was bij de drogist, bleven papa en ik buiten staan wachten. Hij vertelde me wat een B-film was en dat films zoals *Het monster uit de zwarte lagune* en *Katvrouwen van de maan*, die hij allebei in zijn verzameling heeft, voor weinig geld gemaakt zijn met belabberde decors en acteurs. Daardoor zijn ze zo slecht dat ze weer leuk zijn en een cultstatus hebben. Ik vroeg papa wat een cultstatus was. Hij zei dat zo'n film een kleine groep speciale fans heeft en niet populair is bij de massa. Ik wilde papa net vragen hoeveel fans een film kon hebben zonder zijn cultstatus te verliezen, toen Kat naar buiten kwam en met een plastic fles met blauwe vloeistof zwaaide.

'Heb je je afbijtmiddel?' vroeg papa.

'Ja. Dank je, papa.'

'Waar gaan we nu naartoe?'

'Ted had toch een idee?'

'Ja, Kat. Het wetenschapsmuseum.'

'Nee, dat niet. Het idee daarvoor.' Ze maakte een kringetje met haar vinger en knipoogde. Het duizelde me door Kats gedrag. Eerst had ze achttien foto's gemaakt van het tuinschuurtje, toen moest ik onder haar kimono kruipen, daarna had ze plotseling nagellakremover nodig, en nu dit weer.

'Weet je het nog, Ted?'

'Hrumm. Ja. Het London Eye.'

Papa bleef stilstaan. Hij sloeg zijn armen over elkaar en keek mij aan, en daarna Kat. 'O, dus daar gaat het om,' zei hij. 'Jullie volgen een spoor, hè?'

Kat haalde haar schouders op, met haar handpalmen omhoog. Toen pakte ze papa's arm vast. 'Het kan toch geen kwaad, papa. Je kunt nooit weten. Als we op dezelfde tijd teruggaan als we er gisteren waren, duikt hij misschien opeens op. Het kan dat hij de weg naar ons huis niet weet, maar iedereen kan het Eye terugvinden van waar dan ook. We... we wilden gewoon nog even kijken. In een cabine stappen. Zien hoe het er binnen uitziet. Hetzelfde zien als Salim...'

Als Salim gezien moet hebben. Dat was weer zo'n zin die iedereen in zijn hoofd afmaakt, maar niet hardop. Kats lippen trilden. Ik heb mama een keer horen zeggen dat Kat papa om haar vinger had gewonden. Ik had geen idee wat mama bedoelde. Ik had naar Kats vingers gekeken en me voorgesteld dat papa eromheen zat, heel klein, uitgerekt en gekneed tot een rare levende ring. Papa trok Kat naar zich toe en knuffelde haar.

'Het valt niet mee, Katje. Ik weet het,' zei hij. Zo noemde hij haar toen ze klein was. Hij keek omhoog naar de lucht. 'Oké, het Eye. Er zijn veel wolken. Dat is goed en slecht.'

'Waarom slecht?' vroeg Kat.

'Dan kunnen we niet ver kijken.'

'Waarom goed?' vroeg ik.

'Dan is het niet zo druk, Ted, en hoeven we niet lang in de rij te staan. Kom mee.'

17

Bliksem

Toen we bij het Eye kwamen kreeg papa gelijk. Het was er lang niet zo druk als gisteren. Er was een heel veld met cumulonimbuswolken komen aandrijven. Het lagedrukgebied naderde. De luchtdruk was 990 millibar en daalde nog, schatte ik. Het zicht was matig.

Kaartjes kopen duurde niet lang. Algauw stonden we in de rij voor de toegang van het Eye. We kwamen op het punt waar we de vorige dag afscheid hadden genomen van Salim. Een man van de beveiliging controleerde ons op wapens of zo, met een ding in zijn hand dat leek op een grote bellenblaasring. Daarna liepen we omhoog de helling op, die zigzagde als een grote omgekeerde z.

We stapten in de bewegende cabine, samen met een groep van acht buitenlandse tieners en een vermoeide moeder met een opgeklapte buggy, haar baby en haar twee oudere zoontjes. We begonnen te stijgen. Ik telde met hoeveel mensen we waren, terwijl we tegen de klok in bewogen van zes naar vijf uur: veertien. (Ik besloot de baby niet mee te tellen, omdat die niet kon rondlopen of naar buiten kijken en nog te klein was om het zich later te herinneren.) Gisteren in Salims cabine had ik eenentwintig mensen geteld.

Ik liep naar de kant van de cabine waar niemand anders stond. Vandaar keek ik naar de andere passagiers. Ze keken naar buiten, draaiden zich om, praatten zacht met elkaar en maakten foto's. Kat kwam bij me staan.

'Ik heb het gedaan,' fluisterde ze.

'Wat?' vroeg ik.

'Sst! Ik heb het filmpje weggebracht bij de drogist. Als we terugkomen is het klaar.'

Ik dacht aan de achttien foto's van het schuurtje en de achttien andere foto's die onze laatste band met Salim waren. 'Dat is heel goed, Kat.'

Papa kwam ook bij ons staan. 'Wat een uitzicht!' zei hij. 'Moet je zien hoe klein de auto's zijn.'

'Ze lijken op de kralen van een telraam, die heen en weer gaan,' zei Kat. Ik keek omlaag, maar ik kon niet zeggen dat ik ooit zulke kralen van een telraam had gezien.

Papa wees naar het zuiden. 'Met een verrekijker zou je onze straat kunnen zien. Misschien zelfs ons huis.'

'Echt iets voor jou,' zei Kat. 'Je gaat hier naar boven en dan kijk je naar iets wat je elke dag voor je neus hebt.'

Papa lachte. 'Ik heb onze buurt nog nooit van bovenaf gezien. Daar is de Barak. Hij ziet er bijna goed uit, als je je voorstelt dat hij is schoongemaakt. En dat is Guy's Tower, en daar is het winkelcentrum. Je kunt het rode dak zien.'

'Kom mee naar het parlementsgebouw kijken.'

Kat trok papa mee naar de andere kant van de cabine. Ik ging op papa's plaats staan aan de zuidoostkant en keek naar buiten, maar zonder te zien wat ik zag. We kwamen bij de twaalf. Het zicht werd nog slechter. De monding van de Theems verdween in de mist. Ik dacht aan de Mary Celeste, een spookschip zonder bemanning, dat achter de horizon verdween. Ik dacht aan de laatste dodo die stierf op een verlaten rots. Ik dacht aan Lord Lucan die boven aan een afgrond stond en zich afvroeg of hij omlaag zou springen. Ik dacht aan de keten van Goden die allemaal geschapen waren door de vorige, tot in het oneindige, het grote, uitgestrekte niets. Ik dacht aan de jongen op de koude tafel, de jonge jongen met blauwe plekken en vuile nagels, de jongen die Salim niet was.

Waar ben je, Salim? vroeg ik me af. En opeens was het alsof ik Salim werd. Ik voelde hem in me lachen als een soort spook, terwijl ik naar buiten stond te kijken. Ik probeerde me voor te stellen wat hij gedaan had in zijn eentje tussen allemaal onbekenden in zijn cabine. Had hij met iemand gepraat? Of had hij stil in een hoek gestaan? Ik deelde me in tweeën en liet de Ted-helft aan de Salim-helft vragen wat er was gebeurd. Maar voordat we bij de negen waren verdween het spook van Salim net als de dodo's, lords en bemanning van de Mary Celeste.

Een luidspreker in de hoek van de cabine stelde voor dat we bij elkaar gingen staan met ons gezicht naar het noordoosten in de richting van de trap, voor het maken van een foto.

'Zullen we?' zei papa.

'We zullen,' zei Kat.

Kat en papa gingen samen met de andere passagiers aan één kant van de cabine staan, terwijl ik aan de rand bleef en half poseerde, half naar de anderen keek.

De camera flitste. Toen was de cabine beneden.

Een jongeman met een T-shirt van het London Eye kwam bij de deur staan en gebaarde dat we moesten uitstappen. Eerst gingen alle anderen, en toen papa en ik. Maar Kat bleef achter en keek snel om zich heen. Ze kroop achter een bank, maar de man kwam de cabine in en joeg haar naar buiten. Daarna pakte hij iets op dat de vrouw met de baby had laten vallen en stapte zelf ook uit.

'Wat had dat te betekenen?' vroeg papa.

Ik zei bijna: 'Theorie 1 is weerlegd.' Maar ik herinnerde me hoe mama had gereageerd op theorie 8.

'Ik dacht dat ik iets had laten vallen,' zei Kat.

'Nou, even flitsen,' zei papa. (Dat zegt hij graag in plaats van 'schiet op', maar ik heb nooit precies begrepen waarom.)

Kat stootte me aan. We hadden het allebei op hetzelfde moment begrepen. Je kon niet voor een extra rondje in de cabine blijven. Uitstappen, instappen, uitstappen, instappen – dat was goed geregeld.

Op weg naar buiten kwamen we langs het fotokraampje, dicht bij de plaats waar we met Salim hadden afgesproken. Er waren verscheidene beeldschermen met foto's van passagiers. Ons nummer was 2903. Papa en Kat stonden erop, en de moeder met haar twee zoontjes en de baby. De buitenlandse tieners stonden om hen heen te lachen en te zwaaien. Van mij waren alleen een schouder en een oor zichtbaar, helemaal rechts, achter alle anderen.

'Ted is er niet op gekomen en ik zie er vreselijk uit,' zei papa. 'Maar jij staat er goed op, Kat.'

Kat hield haar armen over elkaar en haar haar zat in een slordige knot. Haar magere gezicht viel op. Met haar scheve kin en donkere wenkbrauwen leek ze op de een of andere manier scherper dan de mensen om haar heen, of echter. Je moest haar wel zien, of je nu naar haar keek of niet.

Misschien is dat wat ze 'mooi' noemen, dacht ik.

'Wat zit mijn haar stom,' zei ze.

Maar papa kocht de foto toch.

Toen gingen we weg van het Eye en liepen langs de rivier. De Theems was vlak en bruin. De rondvaartboten voeren bijna zonder passagiers. Je kon vliegtuigen horen, maar niet zien. Het wolkendek werd dichter. Ik keek voortdurend uit naar Salim.

Als ik in de verte een jongen zag met ongeveer zijn lichaams-
bouw en donker haar, staarde ik naar hem. Maar als we dan
dichterbij kwamen, was het hem nooit. Papa bleef staan om uit
te kijken over het water. Hij wees naar twee aalscholvers die in
het water doken, heel lang onder bleven en dan tien meter verderop bovenkwamen.

'Is Salim net als de aalscholvers, papa?'

'Wat?'

'Duikt hij over een tijdje ook weer op? Net als zij? Misschien
niet waar hij verdwenen is, maar ergens anders?'

Papa gaf niet meteen antwoord. Hij keek stroomafwaarts, met
zijn mondhoeken omlaag – dat betekende dat hij verdrietig was.
Misschien dacht hij aan de jongen op de koude tafel, de jongen
die Salim had kunnen zijn, maar niet was. 'Ik hoop echt dat
Salim net als de aalscholvers is, Ted.'

We staken de rivier over naar de Embankment Gardens en
aten broodjes in het Park Café. Toen we ze op hadden, liepen we
rond de perken met kleurige bloemen. Zoals ik 's ochtends had
voorspeld, begon het te onweren. Eerst vielen er losse regendruppels, daarna goot het. Er klonk een donderslag. De onstabi-
liteit in de hogere luchtlagen barstte los. Ik dacht aan theorie 5:
zelfontbranding. Als onweer mogelijk was, waarom dat dan
niet?

'Goed dat we nu niet in het Eye zijn,' zei papa. Het bliksemde.
Tien seconden later donderde het weer.

'Papa,' zei ik, 'het onweer is drie kilometer verderop. En zelfs
als het dichterbij was, zou je kans om door de bliksem getroffen
te worden bij benadering maar één op de drie miljoen zijn.'

We sprintten naar het metrostation. Het regende nu pijpen-
stelen (ook zo'n rare uitdrukking; als ik hem hoor, heb ik altijd
moeite om niet te bukken, maar dat zou toch niet helpen). Daar-

na begon het te hagelen. Tussen de bliksem en de donder zaten nu nog vier seconden.

'Twaalfhonderd meter,' zei ik. 'En het zijn ontladingen in de wolken. Dat betekent...'

'Hou je kop, Ted,' zei Kat. Ze had de kraag van haar jack over haar hoofd getrokken. 'Ik ben drijfnat.'

Papa keek op zijn horloge. 'Het is drie uur. We zijn niet gebeld. Dus er is geen nieuws.'

'Zullen we naar huis gaan?' zei Kat. 'Het is te nat om buiten te blijven.'

'Oké, Kat. We zetten er een punt achter.'

We gingen de metro in. Tegen de tijd dat we weer op straatniveau kwamen, was het onweer weggetrokken. Het regende niet meer. Maar er stroomde nog water over straat.

'Het was een heel plaatselijke onweersbui,' zei ik.

'Papa,' zei Kat, 'kunnen we nog even naar het winkelcentrum? Ik wil een cadeautje kopen voor tante Gloria. Een flesje badolie om haar te helpen ontspannen.'

Papa's mondhoeken gingen omhoog. 'Dat is een geweldig idee, Katje.'

We wachtten terwijl Kat weer naar de drogist ging. Ze kwam naar buiten met een plastic fles met een stroperige, frambooskleurige vloeistof. Papa schroefde de dop los, rook aan de fles en trok zijn neus op. Dat betekende dat hij de geur niet lekker vond, maar hij zei: 'Prima.'

Wat hij niet zag, maar ik wel, was het mapje nieuwe foto's waarvan de bovenkant uit de zak van Kats jack puilde.

18

Theorie 9

Toen we thuiskwamen, was de woonkamer gevuld met smog van tante Gloria's sigaretten. Smog is eigenlijk een mengsel van rook, mist en gassen, maar dit was een mengsel van rook, rook en nog eens rook. Mama zei dat er geen nieuws was, maar dat wisten we al omdat ze papa niet had gebeld op zijn mobieltje. Ik probeerde haar en tante Gloria te vertellen dat we naar het London Eye waren geweest, maar Kat begon te hoesten en papa zei dat we een fijne wandeling langs de rivier hadden gemaakt. Kat gaf tante Gloria de badolie en zei dat het een cadeautje was van haar en mij. Toen tante Gloria het etiket bekeek, gingen haar mondhoeken omhoog. Ze bedankte Kat en mij, en vertelde dat ze dit merk altijd had gebruikt toen Salim klein was.

'Hij was zo'n kleine duvel,' zei ze. 'Hij kneep altijd in het flesje, omdat hij de belletjes zo mooi vond. Hij blies ze omhoog en lachte als ze kapotgingen.'

Ze begon te huilen en mama stuurde Kat en mij naar boven.

Op mijn kamer haalde Kat het mapje met foto's tevoorschijn en keek ze door met een tempo van één per seconde. Ik wilde ze heel graag zien, maar ze duwde me weg. Achttien seconden later lagen achttien foto's van onze achtertuin met de was en het schuurtje verspreid over mijn dekbedovertrek. Toen ze bij de eerste achttien foto's kwam, die gemaakt waren op de ochtend dat Salim verdween, ging ze langzamer. Ik probeerde mee te kijken over haar schouder, maar ze wendde zich met een ruk van me af. Ze bekeek ze allemaal twee keer en liet ze toen op het bed vallen alsof het haar niet meer interesseerde. Ik pakte de foto's en bekeek ze.

'Gewoon een stel stomme toeristenfoto's,' zei Kat. 'Zoals alle andere.'

Er waren foto's van het parlementsgebouw, de Lambeth Bridge en het Eye vanuit verschillende hoeken. De beste foto had Salim op de voetgangersbrug gemaakt van Kat en mij. We hielden onze gezichten dicht bij elkaar en achter ons was de helft van het Eye zichtbaar, met een stukje brug, rivier en hemel. Kat glimlachte. Ik had mijn hoofd opzij gedraaid en mijn ogen keken omhoog alsof ik nadacht. Kat was langer dan ik. Mijn hoofd eindigde waar haar kin begon.

De laatste foto had ik gemaakt. Hij was mislukt. In plaats van het London Eye had ik alleen wat benen en lichamen zonder hoofd gefotografeerd van mensen bij ons in de rij. Ik rangschikte de foto's op mijn bureau naast de foto uit de cabine waarin Salim volgens ons het rondje had gemaakt, en het lijstje met theorieën.

We bleven zwijgend zitten.

Kat ademde lang en lawaaiig uit. 'Ik weet niet eens wat ik verwachtte te vinden,' zei ze terwijl ze de foto's door elkaar schoof. 'Ik wou dat we Salims camera meteen aan tante Gloria hadden gegeven. Nu moeten we uitleggen waarom we hem niet aan haar hebben gegeven. En ik wed dat ze weer begint te huilen als ze Salims laatste foto's ziet.' Ze pakte de foto van haar en mij op de voetgangersbrug op en gooide hem weer neer. 'Een aanwijzing? Vergeet het maar!'

'Zullen we de foto's en de camera op mijn kamer bewaren tot Salim terug is?' stelde ik voor.

'Als hij terugkomt,' zei Kat terwijl ze op haar lip beet. Ze schudde haar hoofd en veegde alle foto's op een slordige stapel bij elkaar. 'Maar ik vind het goed. Het heeft geen zin om tante Gloria van streek te maken. Je hoeft niet te liegen, Ted. Hou gewoon je mond.' Ze pakte het lijstje met theorieën en verfrommelde het. 'Zo komen we er niet uit, Ted,' zei ze, en ze gooide het in de prullenbak.

Ik keek naar het papier, dat zacht ritselde terwijl het zichzelf weer probeerde te openen. Toen de hoekjes zichtbaar werden, viste ik het uit de rommel en streek het glad op mijn bureau.

'Vergeet het, Ted,' zei Kat.

Ik pakte een pen. 'We kunnen het met eliminatie proberen,' zei ik. Sherlock Holmes, de beroemdste detective van de wereld, zei altijd: als je alle mogelijkheden elimineert, moet wat er overblijft waar zijn, hoe onwaarschijnlijk het ook lijkt. Ik hoopte dat we alle theorieën konden elimineren behalve mijn lievelingstheorie: dat Salim door zelfontbranding in rook was opgegaan. Dit zou natuurlijk niet fijn zijn voor tante Gloria en Salim, maar het zou betekenen dat zelfontbranding echt mogelijk was. En die ontdekking van mij zou een vooruitgang zijn voor de wetenschap.

'Theorieën 1 en 8 kunnen we wegstrepen,' begon ik. 'We hebben vandaag bewezen dat Salim niet in de cabine kon blijven toen die beneden was, en hij kon zich ook niet onder iemands kleren verstoppen terwijl hij naar buiten kwam.' Ik streepte ze door.

'Hou toch op, Ted.'

'Dan zijn er zes over.'

'Nou, streep dan ook maar die theorie door over zelfverbranding, of hoe je het ook noemt.'

'Theorie 5?'

'Ja. En die over iets met de ruimtetijd.'

'Nummer 7?' Mijn pen zweefde boven de lijst. 'Maar als we nu alle andere geëlimineerd hebben? Dan...'

'Doe niet zo raar, Ted.'

Ik wou dat Kat zelf in rook opging. Maar dat deed ze niet. Ze fronste haar wenkbrauwen en haar mondhoeken gingen ver omlaag en toen rolde er een traan uit haar linkeroog en langs haar neus. Heel langzaam zette ik een bibberige streep door de theorieën 5 en 7, maar er kwam een vreemd gevoel omhoog in mijn slokdarm.

'Zo, klaar,' zei ik.

Kat pakte het lijstje alsof het haar weer interesseerde. Ze veegde de traan weg. 'Er zijn nog vier theorieën over,' zei ze. 'Nummer 2, 3, 4 en 6.'

'En 9,' zei ik omdat het me opeens te binnen schoot.

'Nummer 9?'

'Die wilde ik je gisteravond gaan vertellen toen de telefoon ging,' zei ik. 'Daardoor heb je hem niet opgeschreven.'

Ze nam de pen uit mijn hand. 'Je hebt me niet verteld wat die theorie was. Kom op, Ted. Ik hoop dat het een goede is.'

'Ja hoor.' Ik begon te dicteren. 'Theorie 9 is dat Salim nooit is ingestapt.'

Kat begon te schrijven, maar stopte en zei dat het onzin was en ik zei van niet en zij zei dat we hem toch hadden zien instappen en ik zei dat we iemand hadden gezien waarvan we dachten dat het Salim was maar het was niet meer dan een schim die iedereen had kunnen zijn.

'Hij draaide zich om en zwaaide,' zei Kat.

'Dat kan iemand anders ook hebben gedaan,' zei ik. 'Niet alleen Salim.'

'Wat is er dan met Salim gebeurd tussen het moment dat hij

van ons wegliep, en het moment dat hij boven bij de cabine had moeten komen?'

Daar had ik nog niet over nagedacht. 'Misschien is hij gestopt om zijn veters vast te maken, en besloot hij toch niet in te stappen en kwam hij weer naar beneden toen wij al weg waren. Hij heeft misschien naar ons gezocht, maar wij waren al verdwenen tussen de mensen. En toen is hij verdwaald of weggelopen of ontvoerd.'

Kat sloot haar ogen. 'Oké, Ted. Ik probeer het me voor te stellen.'

Ik deed ook mijn ogen dicht. Maar ik zag alleen de omgekeerde Z en een rij jongens die allemaal op Salim leken en lachend en zwaaiend naar de rand van een afgrond liepen.

'Ted,' zei Kat. Ik deed mijn ogen open. 'Ik moet toegeven dat het een slimme theorie is.'

Er ging een fijn tintelend gevoel van mijn slokdarm naar mijn hoofdhuid. Ik glimlachte.

'Maar hij klopt niet, Ted.'

Ik hield op met glimlachen. 'Niet?'

'Ik denk niet dat je het begrijpt. De jongen die zwaaide van boven aan de helling. Zoals hij stond en omkeek, zich omdraaide en doorliep. Dat was Salim. Ik weet het zeker.'

'Zeker?'

'Ja, door zijn lichaamstaal.'

Weg was mijn fijne gevoel. Lichaamstaal is een manier van communiceren, net als Engels of Frans of Chinees spreken, maar dan zonder woorden, alleen met gebaren. Mensen en chimpansees en stokstaartjes en pijlstaartroggen kunnen instinctief lichaamstaal begrijpen, zonder het te hoeven leren. Maar volgens de dokters die mij hebben onderzocht, kunnen mensen met mijn syndroom het niet. We moeten het leren als een vreemde taal en dat kost tijd.

'Bedoel je dat je iets zag aan de zwaaiende jongen wat ik niet zag?'

'Ja, Ted,' zei Kat zacht. Ze legde een hand op mijn schouder, waardoor de haren in mijn nek rechtop gingen staan. 'Geloof me. Het was Salim die we zagen. Hij was het echt.'

Ik pakte de pen weer terug en streepte door wat ze al van theorie 9 had opgeschreven. Ik zette er drie strepen doorheen. Tot dat moment had ik het de beste theorie van allemaal gevonden. Nu was hij morsdood, bijna voordat ik hem helemaal had uitgedacht. Zo dood als een dodo.

19

De jongen in de trein

Mama kwam binnen en Kat ging op mijn bureau zitten, boven op de foto's en het lijstje met theorieën.

'Hoi, jongens,' zei mama.

'Hoi, mama,' zei Kat. Ze zwaaide haar benen naar achteren en naar voren en staarde voor zich uit.

'Dit is geen geweldige vakantie voor jullie, hè?'

'Het geeft niet, mama. We redden ons wel.'

Mama glimlachte. Toen zei ze dat de politie weer kwam en dat we naar beneden moesten voor het geval ze ons iets wilden vragen. Daarna ging ze weg, en Kat sprong van het bureau. Ze verborg het lijstje met theorieën en de foto's in het laatje onder mijn bureau. Maar de foto van de mensen in het Eye nam ze mee. Ze zei dat ze die aan de politie wilde geven. Misschien hadden ze er wat aan. Daarna liep ze mijn kamer uit. Ik trok het laatje weer open en pakte de beste foto, die Salim had gemaakt van Kat en mij op de voetgangersbrug. Het leek alsof een deel van het London Eye tevoorschijn kwam uit mijn schouder. Ik stopte de foto in mijn boek over weersystemen, tussen lagedrukgebieden en hogedrukgebieden. Daar was hij veilig. Ik ging Kat achterna, de trap af.

Even later kwam de politieauto. Mama en tante Gloria gingen op dezelfde plaatsen zitten op de bank en papa liet inspecteur Pearce binnen, die deze keer alleen was. Ze ging op dezelfde stoel zitten als gisteren.

Een minuut zei niemand iets. Toen liep Kat naar haar toe en bood haar de foto aan.

'Het spijt me dat we hem niet eerder hebben gegeven,' zei Kat. 'Ik was het gisteren van plan, maar we zijn het vergeten, hè Ted?'

'Hrumm,' zei ik.

Inspecteur Pearce nam de foto aan en schudde haar hoofd en glimlachte. 'Die hebben we al, Kat,' zei ze. 'Met nog vierenzestig andere. Maar toch bedankt.'

Tante Gloria greep de foto en tuurde ernaar. 'Wat moet dit voorstellen?'

'Het is een foto van de mensen in de cabine, tante Gloria,' legde ik uit. 'De cabine waarin...'

'Helaas staat Salim op geen van de foto's,' zei inspecteur Pearce. 'En ook niet op de opnamen van de bewakingscamera's. Een groot deel daarvan heb ik zelf bekeken. In die cabine stond een vrij grote man bijna de hele tijd op dezelfde plaats, in het beeld van de camera.' Ze leunde naar voren en wees naar de grote grijze man in de regenjas.

Tante Gloria gooide de foto dicht bij mijn voeten op de grond. Ik raapte hem op. 'Weten jullie wat ik denk?' zei ze. 'Ik denk dat hij helemaal niet is ingestapt in dat stomme reuzenrad!'

'Dat is een interessante theorie, tante Gloria,' zei ik. 'Ik heb er ook aan gedacht, maar...'

'Ted,' zei mama. Ze legde een vinger op haar lippen. Dat is lichaamstaal die zelfs ik heb geleerd. Het betekent: 'Hou je mond.'

Er viel weer een stilte.

Toen zei de inspecteur dat ze een aanwijzing had. Een bewaker op Euston Station had de vorige dag om vier uur 's middags een jongen gezien die beantwoordde aan Salims signalement.

Hij was over het draaihek van de kaartjescontrole geklommen en in een trein gestapt vlak voordat de deuren dichtgingen.

'Een trein? Welke trein?' vroeg tante Gloria.

'De intercity van Londen naar Manchester.'

'Manchester? Daar komen we net vandaan. Waarom zou Salim daarnaar teruggaan?'

'We weten niet zeker of het Salim was. De jongen was alleen. Helaas hebben we zijn spoor niet verder kunnen volgen. De conducteur van de trein kan zich hem niet herinneren. Hij kan bij elk tussenstation zijn uitgestapt. Maar de politie van Manchester onderzoekt of Salim misschien in Manchester is.'

'Bij zijn vader!' zei tante Gloria.

'Nee, hij is niet bij zijn vader. Daar zijn we het eerst geweest.' De inspecteur haalde Salims adresboekje tevoorschijn. 'We hebben met iedereen gesproken met wie hij volgens u vaak contact heeft. Zijn neven Ramesh en Yasmin. Uw buren, de familie Tyson. Zijn vriend op school, Marcus Stort. En zijn oude vriend van de basisschool, Paul Burridge.'

'En?'

'Ze zeggen allemaal dat ze niets meer van hem gehoord hebben sinds u eergisteren bent vertrokken.'

'Hrumm,' zei ik. 'Dat is...'

'Stil, Ted,' zei mama.

'Als Salim naar Manchester is gegaan,' zei inspecteur Pearce tegen tante Gloria, 'waar denkt u dan dat hij naartoe is?'

Tante Gloria staarde voor zich uit en zuchtte. 'Ik denk het niet,' zei ze.

'Wat bedoelt u?'

'Ik denk dat het net zo is als met de jongen van gisteravond in het lijkenhuis. De jongen van wie u dacht dat hij Salim was, maar die het niet was.'

Inspecteur Pearce boog zich naar voren en raakte tante Gloria's hand aan. 'Dat spijt me echt, Gloria. Toen hadden we nog geen goede foto. Nu wel.' Uit een bruine envelop die ze in haar hand hield, haalde ze een foto van Salim tevoorschijn, en ze liet hem aan ons zien. 'Die heeft uw ex-man ons gegeven. Vindt u het een goede foto van Salim?'

Salim droeg een schoolblazer met een sweatshirt eronder en had een dun snorretje. Hij was niet erg blij of verdrietig op de foto, want zijn lippen waren recht, niet omhoog of omlaag gekruld.

'Ja, dat is hem,' fluisterde tante Gloria. 'Ik heb van die foto twee afdrukken gekocht, zodat Salim er een aan zijn vader kon geven. Aan Rashid. Dat doe ik elk jaar. Ik weet niet waarom. Ik weet niet eens of Rashid ze laat inlijsten. Ik...'

Er werd gebeld. Papa liep naar de voordeur om te kijken wie het was. Ik hoorde stemmen en toen kwam er een lange Indiase man binnen. Hij droeg een spijkerbroek en een groen overhemd.

'Als je over de duivel praat...' siste tante Gloria. Ik was de enige die het hoorde, want ik stond vlak naast haar. Maar ik vond niet dat de onbekende er als een duivel uitzag. Ik dacht dat hij ook van de politie was. Mijn hand fladderde.

'Wat heeft dit te betekenen?' zei de man. 'Hebt u mijn zoon gevonden?' Hij keek naar tante Gloria.

Ze keek terug. 'Wat doe jij hier?'

'Ik zoek mijn zoon. Wat anders? Echt iets voor jou om hem kwijt te raken!'

Misschien was de duivel toch de kamer binnengekomen, want iedereen begon heel hard te praten. Ik hield mijn handen voor mijn oren, maar ik hoorde het nog steeds. Ik telde de mensen in de kamer. Zeven. Ik probeerde te raden hoe oud de mensen waren die ik niet kende. Daarna telde ik alle echte of geschatte leeftijden van de aanwezigen bij elkaar op. Toen ik was uitgekomen bij het cijfer 233 en had uitgerekend dat de gemiddelde leeftijd 33,285714 repeterend was, stond iedereen nog steeds luidkeels te schreeuwen. Dat vind ik een raar woord – luidkeels. Maar ik kon bij sommige mensen hun keel zien, en het betekent heel hard.

Inspecteur Pearce stond op uit haar stoel. 'Ik kan beter weggaan,' zei ze. Maar ik geloof niet dat er iemand luisterde, behalve ik en papa, die ook niet meedeed met het schreeuwen. Papa liep met haar de gang op en ik ging mee. Ik kon de harde stemmen in de woonkamer nog horen.

'Tot ziens, meneer Spark,' zei inspecteur Pearce. 'Nogmaals, het spijt me van gisteravond.'

Ik voelde papa's arm om mijn schouders verstijven. 'Denkt u dat u te weten komt wie die arme jongen was?'

'We werken eraan,' zei inspecteur Pearce. 'En wat Salim betreft: kunt u, als iedereen wat is gekalmeerd, vragen of ze het goed vinden als we de pers erbij halen?'

'De pers?'

'Ja. Als Salims foto op tv en in de kranten komt, reageert er misschien iemand die hem heeft gezien.'

Papa knikte. 'Ik zal het vragen.'

'Inspecteur Pearce,' zei ik. Mijn hand fladderde. 'Salim is gisteren gebeld op zijn mobieltje. Ongeveer om 10.50 uur. Hij zei dat het een vriend uit Manchester was, om nog even afscheid te nemen.'

'O ja? Dat is interessant.' Ze glimlachte naar me. Dat betekende dat we vrienden konden worden. 'Ik wou dat sommige van mijn agenten zo slim waren als jij, Ted.'

Toen knikte ze en liep het tuinpaadje af naar de geparkeerde politieauto.

Papa en ik gingen terug naar de woonkamer. Rashid was aan het vertellen dat de politie de vorige dag was binnengevallen tijdens zijn drukke avondspreekuur. Al zijn patiënten hadden vast gedacht dat hij een soort Dr. Death was. Zo noemden de kranten een heel slechte dokter die tientallen patiënten had vermoord in plaats van ze beter te maken – zomaar omdat hij dat leuk vond. Tante Gloria omklemde een kussen alsof ze op het punt stond het naar zijn hoofd te smijten. 'Ja, hoe andere mensen over je denken – dat is het enige wat jou kan schelen,' zei ze.

Mama stond voor ons en hield Kat bij haar arm. Ze dreef ons de gang op en deed de deur achter zich dicht.

'Lieve hemel. Laten ze dat zelf maar uitzoeken,' zei ze. 'Zullen we een pizza gaan eten?'

Dat deden we. We gingen naar de pizzeria om de hoek en bestelden vier enorme pizza's. Ik nam Coca-Cola, Kat Sprite, mama bier en papa een flesje bronwater met prik. Papa en ik aten onze hele pizza op. Mama en Kat ruilden hun laatste stuk en lieten alleen wat korsten liggen. Dat betekende dat iedereen ontzettende honger had gehad. Tijdens het eten praatten we niet over Salim. Ik praatte over onweersbuien en hoe die ontstaan, en Kat liet papa zien dat ze de zilveren nagellak van haar nagels had gehaald. Hij zei dat hij blij was dat de Katvrouw terug was naar de maan.

Toen we terugkwamen, zaten Rashid en tante Gloria met hun armen om elkaar heen op de bank. Dit begreep ik niet, tot ik me herinnerde wat mama over Kat en mij had gezegd. Volgens haar hebben we een haat-liefdeverhouding en ik concludeerde dat dit blijkbaar ook gold voor Rashid en tante Gloria. Mama zei tegen Rashid dat hij op de bank mocht slapen als hij dat wilde en hij vroeg of ze dat zeker wist en zij zei ja hoor en hij zei dat het heel aardig van haar was en dat hij het graag zou doen. En toen kregen Kat en ik te horen dat we naar bed moesten. Dus gingen we naar boven.

20

Afluisteren

Kat ging op het luchtbed liggen en viel in slaap. Het werd stil in huis.

Kat maakte een raar lebberend geluid als een hond die water drinkt.

Ik kon niet in slaap komen. Ik dacht telkens aan Salim en zag zijn gezicht met de mondhoeken omhoog opdoemen tussen de spaken van het London Eye en dan weer vervagen. Ik herinnerde me dat hij had gezegd dat ik er cool uitzag, en ook dat hij zich soms eenzaam voelde. Ik dacht aan de jongen op de koude tafel. En de jongen in de trein. Was dat Salim of niet?

Ik deed het bureaulampje aan. Kat werd niet wakker. Ze kreunde alleen en draaide zich om.

Ik pakte mijn boek over weersystemen van het bureau en bekeek de foto van Kat en mij op de brug, die Salim had gemaakt. Ik weet niet veel over foto's, maar ik kon zien dat het een goede foto was. Niet zo een als ik maak, want de lijnen van onze gezichten waren scherp en we stonden precies in het midden van het beeld. Uit mijn schouder stak een klein stuk van de rand van het wiel, met zeven van de tweeëndertig cabines glinsterend in het zonlicht.

Ik stopte de foto terug op zijn veilige plek tussen de hoofdstukken over lagedrukgebieden en hogedrukgebieden. Ik dacht na. Lagedrukgebieden draaien tegen de klok in. Hogedrukgebieden met de klok mee. Tenminste, als je op het noordelijk halfrond bent. Op het zuidelijk halfrond is het precies andersom. Het is net als water dat door een afvoer kolkt: op het noordelijk halfrond draait het tegen de klok in, in het zuiden met de klok mee.

Opeens begreep ik dat dit ook voor het London Eye geldt. Ik had altijd gedacht dat het tegen de klok in draait. Dat is ook zo als je er vanaf de zuidelijke oever van de rivier naar kijkt. Maar (een grote maar) als je er vanaf de noordelijke oever naar kijkt, draait het met de klok mee.

Een wervelwind of een reuzenrad draait met de klok mee of tegen de klok in – het hangt ervan af hoe je ernaar kijkt. Nematoden zoals regenwormen zijn mannelijk of vrouwelijk – het hangt ervan af hoe je ernaar kijkt. En dan is er papa's lievelingsgezegde: een glas is half vol of half leeg – het hangt ervan af hoe je ernaar kijkt.

Ik krabde op mijn hoofd. Soms kan iets tegelijk tegengestelde dingen zijn of doen – het hangt ervan af hoe je ernaar kijkt. Ik herinnerde me een schilderij van een waterval dat Kat me een keer heeft laten zien. Zoals het was geschilderd leek het of het water naar boven stroomde. Misschien was dat een aanwijzing om Salims verdwijning te verklaren. Misschien bekeken Kat en ik het ondersteboven of verkeerd om.

Ik raakte opgewonden, want ik ben er goed in om dingen anders te bekijken. Toen ik klein was, heb ik een keer een ei als drie ringen getekend: de schaal, het wit en de dooier. Het leek op de planeet Saturnus en de lerares op school zei dat het een heel ongewone manier was om een ei te tekenen. Ze zei dat ik een dwarsdoorsnede van het ei had getekend alsof ik röntgenogen had en er dwars doorheen kon kijken. Ik probeerde met röntgenogen naar Salim te kijken die ronddraaide in zijn cabine, maar ik zag alleen mensen in de cabine – donkere schimmen die zich omkeerden om op de foto te komen.

Daarom pakte ik de foto die in de cabine was gemaakt. Toen tante Gloria hem op de grond had gegooid en de politie hem niet wilde hebben, had ik hem mee terug genomen naar mijn bureau. Ik bekeek de Afrikaanse vrouwen, de grote man met grijs haar, het dikke echtpaar met hun kinderen, en de Japanse toeristen. Van het meisje met het roze jack dat bij ons in de rij had gestaan, zag ik alleen een arm die boven de andere mensen uit naar de camera zwaaide. Haar vriend zag ik niet, en ook niet de lange blonde vrouw met de grijsharige man die kleiner was dan zij. Het was een volle cabine. Daardoor kon niet iedereen op de foto. Salim stond misschien ergens achteraan, verborgen achter de schouders en lichamen die elkaar verdrongen. Ik probeerde met röntgenogen tussen de lijven door te kijken. Maar het bleef een grijze, ondoordringbare schaduw. Kleine puntjes, meer niet. Ik duwde de foto van me af.

Ik stond op en sloop naar beneden naar de keuken. Ik wist waar mama de chips met zout en azijn verstopte en ik had ze echt nodig. Ik pakte twee zakjes en sloop terug naar de gang. Daar bleef ik even staan. De deur van de woonkamer stond op een kier en ik hoorde de stem van tante Gloria. Ik besloot te luisteren, omdat ik misschien een aanwijzing zou krijgen. Misschien wist tante Gloria iets zonder dat ze het zelf wist, en zou ik wel begrijpen hoe belangrijk het was als ik het hoorde. Mama heeft me verteld dat het verkeerd is om mensen af te luisteren. Dan ben je een luistervink, zei ze. Dat is een vreemd woord. Ik zou eerder zeggen dat vogels zelf muziek maken dan dat ze afluisteren. Kat doet het heel vaak. Ze hangt rond in de gang als papa en mama over belangrijke dingen zoals schoolrapporten praten, en als ik tegen haar zeg dat ze dat niet mag doen, sist ze dat ik moet oprotten.

Maar nu besloot ik zelf af te luisteren.

'Ik haat wachten,' zei tante Gloria.

'Dat weet ik,' zei Rashid. 'Je hebt geen geduld.'

'We moeten de pers erbij halen, Rashid. Zoals inspecteur Pearce zegt.'

'Nog niet, Gloria. Ik wil de vuile was niet buitenhangen.'

'Nou doe je het weer. Je maakt je altijd zorgen wat andere mensen zullen denken. Wat doet dat ertoe? Het gaat om Salim.'

'Oké, Gloria. Morgen halen we de pers erbij. Als ze Salim dan nog niet hebben gevonden.'

Er viel een stilte. Ik hoorde een kreun en de bank kraakte.

'Ik heb er alles voor over om te weten dat Salim leeft – ergens, waar dan ook, ongedeerd,' zei ze.

'Hij leeft. Geloof me. Ik voel het aan mijn water.'

'Ik hoop dat je water gelijk heeft,' zei tante Gloria. 'O, Rashid. Als hij veilig terugkomt, laten we dan meer contact houden. Het is niet goed voor hem geweest dat wij nooit met elkaar praten.'

'Waarom neem je hem dan mee naar New York? Ik had bijna mijn advocaat ingeschakeld.'

'Nee toch?'

'Echt waar. Je hebt me niet eens verteld wat je van plan was. Dat heb ik van Salim gehoord.'

'Ik heb het geld nodig, Rashid.'

'Ik betaal je toch elke maand? Zoals we hebben afgesproken.'

'Het is niet genoeg. Ik heb ook een goed salaris nodig.'

'Waarvoor? Om al je kleren te betalen?'

Ze begonnen weer harder te praten. Ik liep voorzichtig achteruit naar de trap.

'Jij mag net zo veel carrière maken als je wilt,' zei tante Gloria.

'Waarom ik niet?'

'Doe niet zo raar, Gloria. Je denkt alleen aan jezelf.'

'Dat is niet waar. Ik ben degene die voor Salim zorgt. Dag in, dag uit. Hij woont al zijn hele leven bij mij. Hij is van mij. Hij gaat met me mee.'

'Salim is Salim,' zei Rashid. 'Hij is niet van een van ons.'

Er viel een stilte. Ik bleef staan. De bank kraakte weer.

'Je hebt gelijk,' zei tante Gloria. 'Je zegt dat je het me nooit zult vergeven als Salim iets overkomt. Maar ik zou het mezelf ook nooit vergeven.' Haar stem trilde alsof ze ging huilen. Ik sloop de eerste tree op.

'Jij hoeft jezelf niet de schuld te geven, Gloria,' zei Rashid. Ik hoorde hem kreunen. 'De laatste keer dat Salim bij me was, heeft hij me iets gevraagd.'

'Wat?'

'Hij vroeg of hij bij mij kon komen wonen.'

'Dat geloof ik niet.'

'Het is waar.'

'Nee. Dat kan niet.'

'Ik weet niet of hij het meende. Maar hij heeft het gevraagd.'

'Wat heb je gezegd?'

'Ik zei... dat ik het te druk heb met mijn spreekuur, elke dag – dat hij beter bij zijn moeder kon blijven. Dat hij naar New York moest gaan, en dat het een fijne stad was. Ik zei nee. Ik ging niet eens zitten om er met hem over te praten. Hij vroeg het toen ik haastig op weg ging naar een patiënt. Ik heb niet naar hem geluisterd, Gloria.'

'O, Rashid! Niet doen. Ik kan er niet tegen om een volwassen man te zien huilen.'

Geritsel, zuchten, snikken. Ik raadde wat er daarna zou

komen. Mijn haar ging overeind staan. Ze zoenden. Zo te horen was het dat lange-tongen-als-palingen-gedoe waarover Kat me een paar jaar geleden heeft verteld. Ze zegt dat ze het in films doen als hun wangen heen en weer bewegen. En op school in de gang als de leraren niet kijken. En papa en mama doen het als wij niet kijken.

Mama dreigt soms met rare straffen. Als ik drie dagen achter elkaar vergeet een schoon schoolshirt aan te trekken, trekt ze het me ruw uit, krijst over de vuile kraag en dreigt me aan mijn teennagels aan de waslijn te hangen als ik het nog eens vergeet. Dat is natuurlijk een grapje. Maar als je me vraagt of ik liever aan mijn teennagels aan de waslijn word gehangen, of gezoend word door iemand zoals tante Gloria – dan weet ik wat ik zou kiezen. Geef mij maar de waslijn.

Ik vluchtte zo snel ik kon de trap op. Voor één avond had ik wel genoeg afgeluisterd.

21

Een legpuzzel

Ik kroop weer in bed en deed voorzichtig om Kat niet wakker te maken. Toen ik mijn chips at, liet ik ze zacht worden in mijn mond voordat ik kauwde, zodat het minder lawaai maakte. Stilletjes pakte ik het lijstje met theorieën en de foto's. Ik dacht na. Ik zocht de waslijnfoto's bij elkaar en legde ze op een stapeltje op het bureau. Daarna bekeek ik de andere. Toen ik het eerste zakje chips op had, maakte ik het tweede open.

Halverwege het zakje hield ik op met kauwen en staarde naar een foto. Ik bekeek de volgende foto en staarde daar ook naar.

'Kat!' siste ik. Ik schudde hard aan haar schouder.

Ze richtte zich op van het kussen en hield haar hoofd in haar handen. 'Oef. Wat een droom. Wat is er?' Ze keek me knipperend aan vanaf het luchtbed.

'De onbekende, Kat,' zei ik. 'De man die ons het kaartje heeft gegeven.'

Ze schudde haar hoofd. 'Yyyeerggg,' gaapte ze. (Zo klonk het.) 'Wat is daarmee?'

'Ik heb hem gevonden!' zei ik opgewonden.

Kat zette grote ogen op en leek het niet te begrijpen. Ik liet haar de foto zien die ik had gemaakt, de mislukte foto met de lichamen zonder hoofd. Ik wees naar het bovenlichaam van een man, met een jack dat openhing over een T-shirt.

'Dat is hem!' zei ik.

'Hoe weet je dat? Hij kan zomaar iemand zijn uit de menigte. Wat heeft hij er trouwens mee te maken?'

'Misschien niets. Misschien alles.'

Kat hield haar hoofd opzij zoals ik soms doe, omdat het helpt bij het denken. Mijn verklaring is dat het bloed zo naar de kant van je hoofd stroomt die je nodig hebt voor het soort denken dat je van plan bent. De rechterkant is voor logisch redeneren en analytisch denken, en de linkerkant is voor creatief denken, en ik geloof dat inspiratie ook van die kant komt.

'Het was raar zoals hij naar ons toe kwam,' zei Kat. 'Verdacht zelfs. Maar het zou ook gewoon toeval kunnen zijn.' Ze pakte de foto en bekeek hem nog eens. 'Je kunt mij niet wijsmaken dat je hem daarvan herkent. Jij merkt nooit wat mensen dragen.'

'Nee. Niet van die foto alleen, Kat. Maar kijk eens naar deze.' Ik liet haar de foto zien die Salim vlak daarvoor had gemaakt. Salim had het Eye gefotografeerd, maar het bovenste stuk was eraf gehakt doordat hij te dichtbij stond. Op de voorgrond zag je een deel van de rij en een paar voorbijgangers. Als je heel goed naar de afzonderlijke mensen keek, kon je het hoofd en de schouders zien van een man die met zijn gezicht naar de camera stond. Zijn hoofd was niet groter dan een erwt, maar er was genoeg van het gezicht herkenbaar.

'Dat is hem,' zei ik.

Kat keek nog eens goed. 'Je hebt gelijk, Ted. Het is hem.' Ze pakte de andere foto. 'Dat zijn zijn hoofd en schouders. En dit is zijn borst, en zijn broek.'

Ik haalde een vergrootglas uit de la van mijn bureau. We bekeken de foto's samen. Het was passen en meten, domino spelen, bij elkaar zoeken wat bij elkaar hoorde. Een legpuzzel.

'Er staat iets op zijn T-shirt,' zei Kat terwijl ze door het vergrootglas tuurde. 'Ik kan het niet lezen. In elk geval een K en een T. De rest is vaag.' Ze keek me aan. 'Weet je, Ted, dit zou wel eens heel belangrijk kunnen zijn.' Ze sloeg me zo hard op mijn schouder dat ik moest hoesten. 'Morgen ga ik met de negatieven terug naar de winkel. Ik laat vergrotingen maken van deze twee foto's. Maar je mag tegen niemand iets zeggen, Ted.'

'Ook niet tegen mama en...?'

'Ze luistert toch niet als we het proberen uit te leggen. Nee. Ik volg dit spoor in mijn eentje.'

'Niet in je eentje, Kat.'

Ze sloeg me weer op mijn schouder. 'Samen met jou, Ted. Natuurlijk. We zoeken uit wat er op het T-shirt staat. Misschien, heel misschien, kunnen we hem zo vinden.'

Ik was zo opgewonden dat ik vergat te hrummen.

'Ted, ik zeg het niet graag, maar je bent een genie.'

Toen greep ze het zakje chips dat ik aan het eten was, en propte alles naar binnen.

22

Scrabble

De rest van de nacht sliepen we. Toen ik wakker werd, waaide er toenemende wind uit het westen. Een lichte regen tikte tegen de ruit. Het luchtbed op de grond was leeg. Ik vroeg me af waar het spoor van de onbekende man met het kaartje naartoe zou leiden en wat het zou betekenen voor de theorieën die nog over waren op het lijstje. Het hangt ervan af hoe je ernaar kijkt. Ik herinnerde me wat ik de vorige avond had gedacht over dingen die tegelijk met de klok mee en tegen de klok in kunnen draaien. Er zat een knoop in mijn hoofd.

Kat kwam binnen terwijl ze zich in haar jack met bontkraag probeerde te wurmen. Het was te nauw voor haar. Eerst ging haar ene arm de lucht in, en toen de andere, om ze in de mouwen te wringen. 'Ik ga ervandoor, Ted,' fluisterde ze. 'Om de foto's te laten vergroten voor iemand het merkt. Ik ben over een uur terug.'

Ze hield een vinger op haar lippen, pakte het fotomapje met de negatieven en liep de kamer uit.

Ik keek naar mijn bureau. De foto's van de kleren aan de waslijn lagen slordig verspreid en ik zag in een wirwar papa's ruitjeshemd dat met wasknijpers aan de schouders en manchetten hing, mama's zwarte t-shirt met lange mouwen, Kats sweatshirt van school, boxershorts van papa, drie bh's van mama en een pyjama van mij. Ik schoof de foto's op een net stapeltje en ging op mijn rug liggen met mijn hoofd op mijn kussen. De koele lucht van een front boven Londen streek over mijn voorhoofd. Ik stelde me de satellietfoto voor – een wirwar van wolkenflarden, die leek op de wirwar in mijn hersenen.

Dat heb ik nodig, dacht ik. Een satellietfoto. Een geostationaire satelliet op 36.000 kilometer boven het aardoppervlak kan in een paar seconden foto's omlaag stralen. Hij meet de temperatuur van de wolken en de oppervlaktetemperatuur van de zee. Hij vertelt meteorologen wat er gebeurt, en helpt hen naderende weersystemen te begrijpen en voorspellingen te doen.

Ik bedacht dat ook een geostationaire satelliet twee dingen tegelijk doet: hij staat stil en beweegt op hetzelfde moment. Ten opzichte van het aardoppervlak blijft hij op dezelfde plaats, maar alleen doordat hij met dezelfde snelheid rond de aarde draait als de aarde om zijn eigen as. Met de klok mee of tegen de klok in, mannelijk of vrouwelijk, half leeg of half vol, stilstaand of bewegend – het hangt ervan af hoe je ernaar kijkt.

Ik kreunde en begroef mijn hoofd met de wervelende hersengolven onder het kussen. Ik hoorde de stemmen van mama en tante Gloria die naar elkaar riepen bij de trap. Papa's stem hoorde ik niet. Op mijn klok was het 9.02 uur. Dat betekende dat hij naar zijn werk was. Toen klonk de stem van Rashid uit de keuken. Ik rook geroosterd brood.

Er ging een uur voorbij. Ik kleedde me aan. Ik trok het shirt aan dat ik de vorige dag had gedragen en de dag daarvoor. Mama zou het vast niet merken. Om 10.05 uur sloop ik de overloop op, net toen Kats schim verscheen achter het matglas van de voordeur. De deur ging langzaam open. Kat probeerde ongemerkt binnen te komen met haar sleutel. Ze zag me boven aan de trap staan en legde weer haar vinger op haar lippen. Maar mama had haar blijkbaar gehoord. Ze kwam aanlopen uit de keuken voordat Kat de trap op kon gaan.

'Waar ben jij geweest, Kat? Ik heb niet gezegd dat je zomaar weg kon gaan als je daar zin in had.'

'Hoi Kat,' zei ik. 'Heb je het gevonden?'

Kat keek mama aan en toen mij.

'Mijn kompas,' zei ik. Ik liep de trap af en raakte mama's elleboog aan. 'Ik denk dat het gisteren uit mijn zak is gevallen. Kat zei dat ze in de voortuin zou gaan kijken voor me.'

'O,' zei mama. Ze streek door mijn haar. 'Ik wist niet dat je het kwijt was. Sorry, Kat. Ik dacht dat je weg was geweest. Heb je het gevonden?'

'Nee,' zei Kat. 'Ik heb in de struiken gezocht. Maar het lag er niet.'

'Het was een goedkoop ding,' zei ik. 'Maar goed genoeg om de windrichting te bepalen.'

'Wanneer dit allemaal voorbij is,' zei mama, en toen zweeg ze even en schudde haar hoofd. 'Als dit ooit allemaal voorbij is, kopen we een nieuw voor je. En ook iets voor Kat. Als jullie allebei stil en rustig blijven terwijl dit allemaal...'

Ze brak haar zin af, haalde haar schouders op, schudde haar hoofd en liep terug naar de keuken. Kat keek me aan. Ik keek terug.

'Nou, Ted,' zei Kat zacht terwijl ze me zo hard in mijn arm kneep dat ik bijna van de trap viel. 'Dat ik dat nog mag meemaken. Je hebt gelogen!'

We gingen naar boven naar mijn kamer en Kat haalde een grote kartonnen envelop tevoorschijn die ze onder haar jack had. 'De man in de winkel...' begon ze. 'Hij kent me nu. Hij heeft de vergrotingen binnen een uur gemaakt. Hier zijn ze.'

Ze scheurde de sluiting open en haalde twee grote foto's uit de envelop. Op de ene stond de onbekende man die ons het kaart-je had gegeven. Zijn gezicht was wazig maar herkenbaar, met zijn baardstoppels, donkere wenkbrauwen en hoge voorhoofd. Hij had zijn ogen samengeknepen tegen de zon.

Op de andere foto stonden drie lichamen, maar het middelste was weer van de onbekende man. Ik zag een oud leren jack, een harige nek, een zwart T-shirt of sweatshirt, en zijn vingers met een sjekkie. Het jack hing losjes open. Daardoor waren op het shirt witte letters zichtbaar:

ETE

AKI

Het begin en het eind van de twee woorden werden bedekt door het jack.

'Het is een soort scrabble,' mompelde Kat. Ze ging aan mijn bureau zitten en greep een vel papier. 'We moeten woorden zoe-ken met die letters in het midden.' Ze schreef de letters op en keek ernaar. 'Zie je dat rechts van de I, Ted? Daar staat nog een verticale streep en een stukje van een schuine lijn. Zou dat een N zijn?'

Ik dacht aan het alfabet in hoofdletters. 'Een M kan ook,' zei ik.

'Ja, misschien. Toch denk ik dat het een N is.' Ze tikte met haar potlood. Ik hoorde haar mompelen: 'BAKIN – CAKIN –DAKIN–EAKIN...' en zo door tot aan 'ZAKIN'. Toen gooide ze haar potlood neer.

'Het is hopeloos,' zei ze.

'En het eerste woord?' zei ik. 'Dat zou repeterend kunnen zijn.' Ik dacht eraan omdat 3,3 repeterend mijn lievelingsgetal is. Ik vind het prachtig zoals de drieën oneindig verder gaan, net als een reeks Goden die elkaar geschapen hebben.

'Repeterend. Ja, dat zou kunnen.' Ze schreef het woord op en prevelde het zachtjes voor zich uit. Daarna keek ze er zwijgend naar. 'Weet je,' zei ze. 'Ik heb zelf een repeterende droom.'

'Wat?'

'Een nachtmerrie die telkens terugkomt. Elke nacht sinds Salim... verdwenen is.'

'Wat gebeurt er in je droom?'

Ze sloot haar ogen. 'Eerst ben ik in een lijkenhuis. Er ligt een jongen op tafel en ik durf niet naar zijn gezicht te kijken. En dan ben ik opeens in een cabine van het Eye. Hij draait snel – een stuk sneller dan in het echt. Hij gaat steeds sneller. Ik kijk naar buiten. Maar ik kan niets zien. Het is mistig. Overal is dichte mist. En dan stopt het Eye. Als de cabine helemaal boven is. Dan stopt hij. En het glas...'

'Wat?'

'Het glas verdwijnt, Ted. Ik val en val tussen de witte spaken door. En de mist... Ik kan niet zien waar ik naartoe val...' Ze greep naar haar keel.

'Het is een droom, Kat,' zei ik.

Ze schudde met haar hoofd en schouders. 'Ja, ik weet het.' Ze keek naar de letters en zuchtte. 'Als het REPETEREND was, zouden de laatste letters veel te ver doorlopen. De D zou onder zijn oksel zitten.' Ze tikte met het potlood op de knokkel van haar duim. 'Waarom hebben mensen woorden op hun kleren, Ted?'

'Ik weet het niet,' zei ik. 'Het ziet er raar uit – mensen die rondlopen als reclameborden.'

'Het is niet mijn stijl. Vooral niet die lollig bedoelde T-shirts zoals HANDLE WITH CARE. Voorzichtig behandelen.' Ze grijnsde. 'Dat zag ik gister op het shirtje van een vrouw met een stel reusachtige...' Ze hield haar handen een flink stuk voor haar borst.

'Hrumm,' zei ik.

'Wat je zegt. Maar dit is volgens mij geen lollig T-shirt. Het zijn maar twee woorden.'

'Er zijn ook shirts met de naam van een universiteit,' schoot me te binnen.

'Ja, maar daar lijkt het niet op,' zei ze. 'Dan zou er nog een of ander kroontje of wapen bij moeten. Een logo of spreuk met de naam van de universiteit.'

'Als het toch een universiteit is, hebben we daar dan wat aan?'

'Wat bedoel je?'

'Je kunt die shirts overal kopen. Je hoeft niet op die universiteit te zitten. Een jongen in mijn klas heeft een sweatshirt met OXFORD UNIVERSITY erop. Maar hij is te jong om al naar Oxford te gaan, toch?'

Kat leunde met haar hoofd op haar handen en kreunde. 'Dit is tijdverspilling.'

'Er is ook een jongen die door zijn moeder van school wordt gehaald,' ging ik verder, 'en zij draagt vaak een T-shirt met TUINEN VOOR GEHANDICAPTEN erop. De letters staan rond een grote margriet. Het is de organisatie waar ze werkt.'

Kat richtte haar hoofd op. 'Daar zit wat in,' zei ze. 'ETE AKI' mompelde ze. 'Werkt hij daar, of is het een club of een vereniging? Iets waar hij lid van is. Iets waardoor we hem kunnen vinden?' Ze keek naar het wazige bovenlichaam met de vage witte letters. Opeens sprong ze als een duveltje uit een doosje overeind.

'Bewaking!' riep ze.

'Wat?'

'Het tweede woord, domoor! Het is bewaking.'

Mijn hoofd draaide opzij.

'Hij werkt voor een bewakingsbedrijf.'

'Bewaking,' zei ik. Ik was onder de indruk, maar ook teleurgesteld dat ik het woord niet eerder had gevonden dan Kat. 'En het eerste woord?'

Kat ging weer zitten en fronste haar wenkbrauwen terwijl ze geconcentreerd nadacht. 'ETE... ETE...' mompelde ze alsof het een mantra was.

'Kat,' zei ik. 'Er is iets wat ik niet begrijp. Van foto's.'

'Sst,' zei ze en ze ging door met haar mantra.

'Waarom staan de letters niet verkeerd om, Kat?'

'Huh?'

'Je weet wel. Als je een foto maakt. Waarom staan de letters dan niet achterstevoren, zoals in de spiegel? Dit is natuurlijk beter, maar...'

Ze gaf geen antwoord. 'ETE... ETE...' ging ze verder. Toen hield ze er opeens mee op. 'Wat zei je?'

'Ik zei: dit is natuurlijk beter.'

Ik zweeg. Kat staarde me met grote ogen en wijd open mond aan.

'Sorry, Kat. Ik wilde je niet afleiden.'

'Nee, nee...' begon ze. Maar ik kreeg niet te horen wat ze verder wilde zeggen, want beneden klonk een snerpende gil.

23

Catastrofe

De gil kwam uit de keuken. Kat snakte naar adem en kneep in mijn arm. Toen rende ze de kamer uit en daverde de trap af. Ik ging haar zo snel mogelijk achterna. Ik vroeg me af of er iemand was vermoord. Het leek wel zo'n gil als je op tv in ouderwetse detectiveseries te horen krijgt als de dienstbode naar binnen gaat met een theeblad en een lijk vindt en het blad laat vallen en oorverdovend krijst. In gedachten zag ik tante Gloria die Salim dood in de kelder vond. Er kwam een akelig gevoel omhoog in mijn slokdarm.

Kat bleef in de deuropening van de keuken staan. Ik gluurde over haar schouder om te zien wat er binnen aan de hand was. Mama, tante Gloria en Rashid stonden bij de tafel en staarden naar het mobieltje van tante Gloria.

'Wat is er gebeurd?' vroeg Kat.

Niemand antwoordde. Het was alsof ze standbeeldje speelden. Kat liep naar de tafel en wilde het mobieltje pakken.

'Niet aankomen!' fluisterde tante Gloria.

Kats hand stopte in de lucht. 'Waarom niet?'

Mama duwde Kats hand weg. 'Hou je erbuiten, Kat. Zie je niet dat Glo van streek is?'

Rashid stak zijn handen op met de palmen naar voren. 'Ho, laten we even gaan zitten om te kalmeren,' zei hij. 'Dan kunnen we uitzoeken wat er nou precies is gebeurd.'

Iedereen gehoorzaamde behalve ik (er waren maar vier stoelen). Ik ging bij mama's schouder staan.

'Gloria,' zei Rashid sussend. Hij pakte haar hand vast en streelde hem zoals je een kat aait. 'Vertel ons wat er is gebeurd.'

Tante Gloria slikte. 'Ik heb mijn mobieltje aldoor bij me, zodat ik er snel bij kan. Naast mijn kussen. In mijn zak. In mijn hand. De hele tijd. Voor als Salim belt. Maar daarnet... Oh!' Ze veegde een traan van haar wang. 'Ik heb het twee minuten hier op tafel laten liggen terwijl ik naar de woonkamer ging. Om de vliegtuigmaatschappij te bellen. Met de vaste telefoon. Ik moest de vliegtuigmaatschappij wel bellen, want eigenlijk' – ze schudde haar hoofd en klemde haar lippen op elkaar – 'eigenlijk zouden we vandaag de Atlantische Oceaan over vliegen, Salim en ik. Ik heb ze gebeld om uit te leggen waarom we niet mee kunnen. De vrouw aan de telefoon was heel aardig.'

Haar lippen gingen de ene kant op, haar neus de andere, en haar ogen verdwenen helemaal. Ze huilde. Ik begreep niet waarom tante Gloria moest huilen omdat er iemand aardig tegen haar was geweest. Toch was het zo. 'Ze zei dat ze onze boekingen zou laten doorlopen. Als Salim... gevonden wordt, geven ze ons een plaats op de eerstvolgende vlucht naar New York. Ik bedankte haar en hing op. Toen liep ik terug naar hier. En ik hoorde dat het overging. Mijn mobieltje. Het lag op tafel en ging over, maar er was hier niemand die het hoorde. Ik pakte het snel en drukte op de beltoets... Maar de verbinding werd verbroken.'

'Dat kan iedereen geweest zijn,' zei Rashid.

Tante Gloria schudde haar hoofd. Ze pakte haar mobieltje en liet ons het schermpje zien. De naam van de laatste beller stond erop.

Salim.

'Hij probeerde me te bellen... Ik belde natuurlijk meteen terug. Maar er werd niet opgenomen. Het toestel stond weer uit. Niemand antwoordde. O, Salim. Jij hebt mij gebeld. En ik was er niet voor jou.'

De laatste zin klonk als een jammerklacht die steeds luider werd tot bij het jou. En toen bleef ze hangen op de ou-klank.

'Ou-ou-ou,' jammerde ze als een baby die zijn flesje heeft laten vallen.

Viking North Utsire South Utsire Forties, cyclonaal zes tot acht storm, dreunde ik in mijn hoofd. Afnemend naar vijf, ruw tot heel ruw.

'O, Glo toch,' zei mama. Ze nam haar bij de arm en ze liepen samen naar de achtertuin. Daar bleven ze staan. Ik zag dat mama tante Gloria haar pakje sigaretten en haar aansteker gaf. Dat was heel vreemd, want mama is verpleegster en verpleegsters weten dat roken slecht is voor je gezondheid. Een kop thee was beter geweest voor tante Gloria, want in mijn boek over eerste hulp staat dat het voor iemand die een hevige schok heeft gehad, goed is om iets warms te drinken.

Rashid zat onderuitgezakt aan de keukentafel. Hij legde zijn hoofd op zijn handen en mompelde iets over de pers erbij halen. Toen liep hij ook de tuin in.

Kat keek me aan. 'Ted,' zei ze, 'dit begint serieus te worden.'

'Serieus,' zei ik.

Ze stond op en liep drie keer om de tafel heen, tot ik er draaierig van werd. Ik zag dat ze nadacht. Als Kat nadenkt, beweegt ze veel. Als ik nadenk, zit ik juist stil. Ik houd alleen mijn hoofd opzij. De manier waarop Kat nadacht was niets voor mij. Haar paardenstaart zwiepte heen en weer en haar lippen waren stijf op elkaar geklemd en haar mond bewoog maar er kwam geen geluid uit. Opeens liep ze naar de woonkamer. Ik ging haar achterna. Ze pakte het A-Z telefoonboek van Londen van de plank en bladerde het snel door. Toen stopte ze bij een bladzijde en knikte. Ze scheurde de bladzijde eruit en vouwde hem op.

'Ted,' zei ze. 'Ik ga ervandoor. Nu meteen.'

'Maar...'

'Je zult weer moeten liegen. Zeg maar dat ik naar Tiff ben.'

Tiffany is Kats beste vriendin op school.

'Je gaat toch niet naar Tiffany?' vroeg ik.

'Nee,' zei ze.

'Hrumm.'

'Sta niet zo te schudden met je hoofd! Je hoeft alleen tegen mama te zeggen dat ik even naar Tiff ben. Begrepen?'

'Even naar Tiff.'

'Voor de middag.'

'Voor de middag.'

'Je moet het niet zo opdreunen. Zeg het alsof je het meent, Ted.'

'Maar ik meen het niet, Kat. Het is niet waar.'

Kat sloeg zich op haar voorhoofd. 'Hoe ben ik nou aan zo'n broer gekomen? In vredesnaam. Je bent hopeloos.'

'Waar ga je echt naartoe, Kat?'

'Als ik je dat vertel, zeg jij het tegen de anderen.'

'Nee, Kat. Niet als ze het me niet vragen.'

'Natuurlijk vragen ze het je. Maar ik heb geen tijd te verliezen. Ik moet dit zelf uitzoeken.'

'Nee,' zei ik. 'Nee, Kat.'

Ze was nu op de gang en trok haar jack aan.

'Nee,' zei ik.

Ze rende naar boven om haar rugzak met luipaardmotief te halen. Ik ging haar achterna. Ze stopte de vergroting van het wazige gezicht van de onbekende man erin en ook de bladzijde uit het telefoonboek en rende weer naar beneden.

'Nee,' zei ik terwijl ik achter haar aanliep. Mijn hand fladderde. 'Nee, Kat.'

'Ik kom zo gauw mogelijk terug.'

'Kat!'

Ze deed de voordeur open.

'Kat!' Ik pakte de mouw van haar jack vast. 'Neem me mee. Alsjeblieft.'

'Lamelos, Ted,' zei ze. Ze probeerde mijn hand weg te slaan.

'Uh-uh-uh,' gromde ik. Ik hield vast.

'Laat los, Ted.' Ze duwde me hard door de voordeur naar binnen. 'Het spijt me, Ted. Je bent goed in denken. Maar je bent niet goed in doen. Ik heb alleen maar last van je als je meegaat.'

Ze gooide de deur voor mijn neus dicht. Ik zag haar schim het pad aflopen en zakte in elkaar op het gangkleed. Ik had het gevoel dat er hete magma in mijn buik kolkte. Mijn voet bonkte tegen de plint, mijn hand fladderde en mijn hersenen werden een draaikolk van nare gevoelens. Catastrofe. Katapult. Orkaan Katrina. Gemene valse Kat.

24

Bingo

Ik ging naar boven voordat mama en de anderen me vonden. Ik had geen zin om het te moeten uitleggen. Ik wilde niet de leugen over Tiffany vertellen. Maar eerst pakte ik het telefoonboek om te kijken welke bladzijde Kat eruit had gescheurd.

Je zou denken dat het makkelijk was, maar dat was het niet. De A-Z Bedrijvengids van Londen heeft 989 bladzijden. En de bladzijden zijn dun en slap. Als er een bladzijde uit is gescheurd, valt het boek niet vanzelf op die plaats open. Je moet bladzijde voor bladzijde bekijken tot je ziet dat er een paginanummer ontbreekt.

Ik begon achteraan, omdat ik me herinnerde dat Kat dat ook had gedaan. Bij 'zzz Bed' op bladzijde 989. De Y en de X gingen snel voorbij. Maar met de W kwam ik al op bladzijde 925. Bij 'Software Oplossingen Oog van de Naald' prikten mijn ogen, en mijn vingers waren zwart van de drukinkt. Als ik de bladzijden omsloeg, schuurde het papier als watten langs mijn vingers. Er droop zweet in mijn nek. De koele ochtendbries was verdwenen. De temperatuur steeg. Beneden hoorde ik de politie binnenkomen.

Ik begon aan de R 'Rijwielhandel Velo'. 'Rijschool 123'. Kon ik niet beter bij de A beginnen? Maar ik had Kat in het telefoonboek zien bladeren en ik had de indruk dat ze achterin had gezocht. Toen dacht ik weer aan spiegels. Ik nam het boek mee en bladerde het snel door zoals Kat had gedaan, maar nu voor de spiegel van mijn klerenkast. Spiegelbeeld, achterstevoren, andersom... het hangt ervan af hoe je ernaar kijkt... Ik herinnerde me dat Kat me aanstaarde toen ik haar vroeg waarom letters op foto's niet achterstevoren staan, maar in de goede volgorde. Dat is natuurlijk beter, maar...

Ik liet het telefoonboek bijna uit mijn handen vallen.

ETE — BETER.

Waarom had ik daar niet eerder aan gedacht?

Ik sloeg snel het telefoonboek open bij het begin en bladerde naar voren langs de B's. 'Beko'. 'Belder'. Ja hoor, bladzijde 93/94 ontbrak, met alle bedrijfsnamen van 'Bella Vista' tot 'Bhagwandas'.

Nu was het niet moeilijk meer.

BETER BEWAKING.

Ik zei hardop wat papa altijd zegt als hij het kruiswoordraadsel in de krant af heeft.

Bingo.

25

De televisieploeg

Ik ging naar beneden. Ik had ontdekt wat Kat had ontdekt en dat vond ik fijn. Maar nu moest ik verder denken. Wat moest ik hierna doen? De politie was in de keuken. De deur stond open. Ik speelde weer luistervink en hoorde inspecteur Pearce zeggen: 'Het kan iedereen geweest zijn, Gloria. Het is niet zeker dat Salim heeft gebeld. Iemand kan zijn telefoon gevonden of geleend hebben.'

En toen zei iemand anders van de politie: 'Soms belt een mobieltje vanzelf, als de toetsen niet geblokkeerd zijn.'

Het was niet erg interessant, en nu de aandacht van de volwassenen was afgeleid, besloot ik dat het een goed moment was om zelf tot actie over te gaan.

Ik sloop de woonkamer in en pakte de telefoon. Mama heeft me geleerd hoe ik een nummer dat ik niet ken, kan aanvragen. Ik belde Inlichtingen en kreeg een man aan de telefoon.

'Beter Bewaking, Londen,' zei ik.

Hij schakelde me door naar een automatische stem, die me een nummer van elf cijfers gaf. Ik onthield het. Daarna hing ik op en draaide het nummer.

Er klonk muziek en toen een opgenomen boodschap:

'Welkom bij Beter Bewaking, uw partner voor alle beveiligingstaken. We hebben stewards voor u, kaartjescontroleurs, beveiligingsmedewerkers en bewakers. We kunnen de totale beveiliging voor u verzorgen bij een feest voor vips, een vuurwerkshow, een popconcert of een tentoonstelling. Beter Bewaking. Dé oplossing voor uw hele beveiliging. Een ogenblik geduld alstublieft terwijl we u doorverbinden.'

De muziek begon weer. Mijn vrije hand fladderde. Ik wachtte nog steeds tot ik doorverbonden werd, toen Rashid binnenkwam. Ik vroeg me af of ik de hoorn zou neerleggen, maar hij glimlachte naar me en zei niets. Hij pakte zijn jack van de leunstoel en liep de kamer weer uit. Ze lieten me nog steeds wachten. De opgenomen boodschap werd nog een keer afgedraaid, en nog een keer. Halverwege de vierde keer klonk er een klik. Een echte vrouwenstem zei: 'Beter-Bewaking-wat-kan-ik-voor-u-doen?'

'Hrumm,' zei ik.

'Hallo?' zei de vrouw.

Ik wist niet wat ik moest zeggen.

'Hallo?'

In mijn hersenen kolkte het als een tropische wervelstorm.

'Hallo? Is daar iemand? Beter Bewaking?'

Ik verbrak de verbinding.

Precies op dat moment hoorde ik buiten een grote bestelwagen stoppen. Er werd met portieren geslagen, er klonken harde stemmen en toen werd er aangebeld. Ik keek uit het raam. Het was een televisieploeg. Tante Gloria en Rashid hadden besloten de pers erbij te halen.

Een paar minuten later was het huis vol mannen in spijkerbroeken en sportschoenen. Ze sleepten met kabels, camera's, lampen en microfoons. Het werd ontzettend druk in de woonkamer. Als papa aan mama vraagt hoe het op haar werk was, zegt ze soms dat het ziekenhuis net Piccadilly Circus was. Dan zie ik flitsende lampen voor me, en mensen die tegen elkaar botsen en wagentjes met medicijnen die rondrazen als race-auto's. Zo was het nu ook in onze woonkamer. Niemand zag me bij de telefoon staan. Inspecteur Pearce praatte in haar mobieltje. Tante Gloria groef in haar make-up tas. En mama hielp een cameraman om een lamp aan te sluiten op het stopcontact achter de bank. Toen ze opkeek zag ze mij.

'O, Ted. Ben je daar? Waar is Kat?'

Mijn mond ging open maar er kwam geen geluid uit. Gelukkig zei de cameraman: 'Kun je me de stekker aangeven?' Daardoor werd mama afgeleid. Een paar tellen later zei een man met een mager, fronsend gezicht: 'Oké, draaien.' Maar er werd niets gedraaid. In plaats daarvan zei een andere man: 'Licht. Camera. Actie. *Take one.*'

Tante Gloria zat op de bank, met Rashid naast haar. Ze had fel oranje lipstick op. Daardoor leek haar gezicht bleker dan normaal, en de huid tussen haar oogharen en wenkbrauwen leek gekneusd.

'Dit is een boodschap,' begon ze. Ze slikte en pakte Rashids hand vast. 'Een boodschap. Als u Salim bij u hebt... als u weet waar mijn zoon is... als u denkt dat u hem misschien gezien hebt, neem dan alstublieft contact op. Alstublieft. We willen alles doen om hem terug te krijgen. Hij is onze zoon. Belt u ons om te laten weten dat hij veilig is... dat hij nog leeft.' Haar gezicht verkreukelde. 'De onzekerheid is vreselijk. Alstublieft. Bel de politie. Dank u.'

'*Cut,*' zei de man met het magere gezicht tegen de cameraman. 'Dat was prima, mevrouw,' zei hij tegen tante Gloria.

'Wilt u dat ik het nog eens doe?' vroeg tante Gloria.

'Dat is niet nodig.'

'Weet u het zeker?'

'Het was meteen goed. U bent een natuurtalent.'

Een paar minuten later had de cameraploeg zijn spullen gepakt, en ze vertrokken. Mama en Rashid liepen met hen mee naar hun bestelbus en de politie vertrok op hetzelfde moment. Dit betekende dat ik alleen in de kamer was met tante Gloria. Ze zat op de bank voor zich uit te staren.

'O, Ted,' zei ze na een minuut stilte. Ze keek me recht aan en ik begreep niet wat de uitdrukking op haar gezicht betekende. Ik dacht dat ze boos was. Maar ze schudde haar hoofd en kreeg tranen in haar ogen. 'Heb ik het goed gedaan?' fluisterde ze.

'Ja, tante Gloria,' zei ik.

'Denk je dat iemand het gehoord heeft en ons helpt?'

'Het is mogelijk,' zei ik.

'Wat denk je, Ted? Denk jij dat alles in orde is met Salim?'

'Hrumm,' zei ik.

'Wat betekent dat?' vroeg ze. Op haar gezicht verscheen haar mini-ijstijd uitdrukking.

'Ik dacht na, tante Gloria.'

De mini-ijstijd ontdooide. Ze zuchtte en stak haar hand uit. Ze streek door mijn haren, zoals mama ook altijd doet. Ik vond het niet fijn, maar tante Gloria merkte het niet.

'Weet je, Ted, mijn maag keert zich om als ik eraan denk.'

Ik keek verbaasd naar haar buik.

'Jij bent tenminste eerlijk,' zei ze. 'Iedereen zegt telkens dat er vast niets met hem aan de hand is. Ze weten het zeker. Het komt wel goed. Hij kan elk ogenblik terugkomen. Maar de ene minuut na de andere gaat voorbij en hij komt niet terug. Ze menen niet wat ze zeggen. De waarheid is dat we het gewoon niet weten.'

'Tante Gloria,' zei ik, 'Salim moet ergens zijn. Het is een raadsel. Ik werk eraan. In mijn hoofd.'

'Je hoofd,' herhaalde tante Gloria. Ze glimlachte naar me,

maar het herinnerde me aan de manier waarop mama naar me glimlachte toen ik haar vroeg naar wondergenezingen en of ik er een kon krijgen voor mijn syndroom als ik hard genoeg bad. Net als bij mama toen gingen tante Gloria's mondhoeken omhoog terwijl er tegelijk een traan over haar wang liep. Ze pakte mijn hand en wreef over mijn knokkels. Ik vond het maar raar en mijn andere hand begon te fladderen. 'Soms, Ted, denk ik dat er in dat hoofd van jou meer hersenen zitten dan bij ons allemaal samen. Als hersenen Salim terug naar huis zouden kunnen halen, zouden het die van jou zijn.'

Tante Gloria stond op van de bank en ging naar boven naar Kats kamer, waar zij nu sliep.

Ik wilde mama niet tegenkomen, omdat ze misschien weer naar Kat zou vragen, en dan zou ik de leugen over Tiffany moeten vertellen. Dus ging ik naar de achtertuin. Daar ga ik altijd naartoe als ik niet gestoord wil worden bij mijn twee liefste bezigheden: denken en naar het weer kijken.

De shirts wapperden nog aan de lijn. Daar hingen ze al drie dagen. Mama was ze helemaal vergeten. Ik raakte ze aan. Ze waren vochtig van de motregen die 's ochtends was gevallen. Ik mat het grasveld met mijn voetstappen om te controleren of het groter of kleiner was geworden. Het was twaalf en een halve stap lang en zeven stappen breed, net als vorige week. Ik dacht eraan dat het aantal stappen kleiner zou worden als ik zou groeien en mijn benen langer werden. Dat was weer een voorbeeld van dingen die veranderen, afhankelijk van hoe je ernaar kijkt. Ik was weer terug bij het water dat in verschillende richtingen door de afvoer kolkt, afhankelijk van het halfrond waar je bent; het London Eye dat in verschillende richtingen draait, afhankelijk van de kant van de rivier waar je bent; wormen die mannelijk en vrouwelijk zijn; satellieten die bewegen en stilstaan. Er flikkerde iets in mijn geest. Het was een patroon – twee dingen die hetzelfde leken; iets wat op het ene leek, maar eigenlijk het andere was. Ik kneep in mijn rechterarm om ervoor te zorgen dat het patroon bleef, maar het lukte niet. Het patroon was al verdwenen voordat ik het kon vastpinnen – voordat ik kon ontdekken wat het was.

Ik keek naar de lucht. In het zuidoosten dreef een dunne witte wolkenbank waaruit geen regen zou vallen. Maar in het noordwesten, boven het centrum van de stad, ontstond een stapelwolk. Ik staarde ernaar terwijl de damp zich ophoopte, en stelde me voor hoe de waterdeeltjes rond een centrale trechter wervelden zodat die een dreigende toren werd. De wolk kon wel of niet regen brengen. Hij kwam langs de skyline op ons af. De zware, bolle vorm zwol op doordat opstijgende luchtstromingen de massa vergrootten.

Ik dacht aan Kat, die daar ergens in de stad was, onder de groeiende stapelwolk, om de onbekende man op te sporen die ons het kaartje had gegeven. Opeens wist ik wat ik moest doen.

Zonder dat iemand het merkte, ging ik naar de telefoon in de slaapkamer van papa en mama. Ik belde weer naar Beter Bewaking.

'Beter Bewaking?' klonk dezelfde vrouwenstem na de muziek en de opgenomen boodschap.

'Hallo,' zei ik.

'Hallo,' zei ze. 'Wat kan ik voor u doen?'

'Hrumm,' zei ik.

'Sorry,' zei ze. 'Dat verstond ik niet.'

'Uh,' zei ik.

'Je bent een kind, hè?'

'Ik ben twaalf,' zei ik.

'Nou,' zei ze, 'ik ben maar een uitzendkracht.'

Er viel een stilte. Ik dacht hard na.

'Heb je het goede nummer gedraaid?' vroeg ze.

'Ja.'

'Naar wie ben je dan op zoek?'

'Een man,' zei ik.

'Een man?'

'Een man met een stoppelbaard.'

Ze lachte luid. 'Zo te horen bedoel je Christy. Hij is de enige hier die zich niet goed scheert. Je bent al de tweede vandaag die naar hem vraagt. Ik zal je vertellen wat ik haar ook heb verteld. Hij is er niet.'

'Niet?'

'Nee. Ik ben hier vandaag alleen.'

'O.'

'Ik beman de telefoon, zou je kunnen zeggen.' Ze lachte weer in de hoorn. Ik begreep de grap niet, maar ik deed wat meneer Shepherd me had geleerd en lachte mee.

'Eerst zoekt een meisje de vriend van haar oudere broer – ze heeft een foto van hem, maar weet niet hoe hij heet, en het is heel belangrijk want hij heeft astma en heeft zijn inhalator bij haar thuis laten liggen. En nu is een jongen op zoek naar een man met een stoppelbaard. Nou, schat, ik zal je vertellen wat ik tegen het meisje heb gezegd. Het zal mij worst zijn.'

Ik zag een grote worst door de lucht zweven.

'Christy is met de anderen mee. Ze zitten deze week allemaal op dezelfde klus. Bij de motorshow in Earl's Court.'

'Earl's Court?'

'De grote tentoonstellingshal. Als je Christy daar vindt, vertel je hem dan niet dat ik het heb gezegd?'

'Nee,' zei ik. Maar ze had al opgehangen.

Je kunt een heel leven leiden, twaalf jaar en 188 dagen lang (of

4571 dagen, met de drie extra dagen voor de schrikkeljaren erbij) zonder één leugen te vertellen. En op dag 4572 vertel je er opeens twee. De eerste leugen die ik vertelde, was over het kompas dat ik zogenaamd verloren had. De tweede leugen was het briefje dat ik schreef en bij de telefoon legde:

Lieve mama,
We zijn gaan zwemmen om wat beweging te krijgen. Ted

Daarna haalde ik vijftien munten van een pond uit de spaarpot die ik al heb sinds mijn vijfde. Ik liep naar het eind van de overloop en luisterde. Mama en Rashid waren weer beneden in de keuken. Ze praatten zacht met elkaar. Het was stil in huis.

Ik sloop de trap af en ging naar de voordeur. Ik deed hem open, stapte naar buiten in de zonneschijn en bleef staan. Was het wel goed wat ik deed? Als mama nou het briefje vond en het niet geloofde? Of als ik Kat niet kon vinden in de Earl's Court Tentoonstellingshal? Of als ik Earl's Court helemaal niet kon vinden? Of als ik niet eens ons metrostation kon vinden?

Maar ik liet me niet zomaar achterlaten door catastrofe, katapult, orkaan Katrina, mijn gemene, valse zus. Daarvoor stond er te veel op het spel. Heel voorzichtig trok ik de deur achter me dicht. Ik liep onze postzegeltuin door. Ik deed het hekje achter me dicht en liep de stoep op en de weg af.

26

Het Coriolis-effect

Terwijl ik liep dacht ik erover na hoe moeilijk het is om het spoor van dingen te volgen of te voorspellen. Vooral ook van het weer. Je kunt een orkaan wel ontdekken terwijl hij de oceaan oversteekt, maar je weet niet welke route hij precies zal nemen of waar en wanneer hij het land bereikt. Er zijn te veel variabelen die zijn koers beïnvloeden. Zoals het Coriolis-effect.

Het Coriolis-effect is heel interessant. Je kunt het Coriolis-effect niet zien en niet aanraken, maar het bestaat wel. Het laat dingen afbuigen. Het is een belangrijke kracht in de wereld. Ik zal uitleggen hoe het werkt.

De aarde draait om zijn as. Als je op de evenaar staat, draai je mee – 40.000 kilometer in 24 uur. Je beweegt met een snelheid van 1670 kilometer per uur, maar het voelt alsof je stilstaat. De snelheid waarvan je niet merkt dat je hem hebt, is je tangentiële snelheid. Maar als je op de noordpool staat, leg je helemaal geen afstand af. Je draait alleen op je plek. Je tangentiële snelheid is nul.

Het Coriolis-effect is het gevolg van het verschil tussen deze twee tangentiële snelheden. Als je vanaf de evenaar iets in de richting van de noordpool gooit, vliegt het niet recht, maar krom. Het verschil in tangentiële snelheid veroorzaakt een afbuiging. Je projectiel komt een klein beetje naar rechts op de grond terecht. Maar als je op de evenaar staat en iets naar het zuiden gooit, landt het een beetje naar links. Naar rechts op het noordelijk halfrond, naar links op het zuidelijk halfrond. Net als de verschillende richtingen van het water dat wegkolkt door de afvoer.

Terwijl ik wegliep van ons huis, dacht ik na over het Coriolis-effect, en over Salims verdwijning. Misschien was het opsporen van Salim net zoiets als het voorspellen van het weer – alleen zonder het Coriolis-effect te kennen. We wisten niet wat hem uit zijn koers had gebracht. Toch was het gebeurd.

Ik dacht na over afbuigen, verdwijnen, wervelstormen en het weer. Ik dacht over noord, zuid, mannelijk, vrouwelijk, vol, leeg, tegen de klok in, met de klok mee. Toen bleef ik staan bij een hoek. Ik merkte dat ik verkeerd was gelopen, en ik wist niet pre-cies waar ik was.

Ik ben een dyslectische geograaf. Ik verwar links en rechts. Mijn hand fladderde, tot ik naar de lucht keek en de stapelwolk zag die me al eerder was opgevallen. Hij was een cumulonim-bus geworden en hing aan een dreigende lucht achter de wol-kenkrabbers van Londen. Er kwam regen of hagel aan, en mis-schien onweer. Ik ging terug in de richting waaruit ik gekomen was, langs ons huis en naar de wolk toe. Om de een of andere reden voelde dat goed aan. Inderdaad was ik algauw in de hoofd-straat, en vandaar kon ik het metrostation zien.

Als dyslectische geograaf kan ik geen kaarten lezen. Ik weet nooit of ik ze rechtop of ondersteboven moet bekijken. Maar er is één kaart die ik wel kan lezen, en dat is die van de Londense metro. Omdat het een topologische kaart is, ben je in een uni-versum waarin de afstanden tussen de punten niet tellen. Het enige waar het om gaat is de volgorde van de haltes en waar de lijnen elkaar kruisen. Je zou de kaart van de metro in allerlei richtingen kunnen uitrekken en dan zou het nog steeds dezelfde kaart zijn, als de splitsingen maar hetzelfde blijven.

Ik bleef heel lang voor de kaart van de metro staan.

Toen vond ik Earl's Court. Het lag aan de groene lijn en de blauwe lijn.

Dit betekende dat ik de zwarte lijn moest nemen naar Embankment en dan moest overstappen op de groene lijn of de zwarte lijn moest nemen naar Leicester Square en dan moest overstappen op de blauwe lijn. Ik besloot dat de route langs Embankment korter was.

Ik kocht een kaartje en ging omlaag naar het perron.

Ik stak mijn hand in de zak van mijn jack om ervoor te zorgen dat hij niet fladderde.

Het bord zei dat er een metro naar High Barnet aankwam. Ik hoorde gerommel in de tunnel en toen kwam de metro het station binnen als een zilveren streep lava die omlaag stroomt langs een vulkaan. De deuren gingen open. Ik liep naar binnen en ging zitten.

De wagon was half vol, of half leeg, afhankelijk van hoe je ernaar keek.

In de glazen ruit aan de overkant waren graffiti gekrast. NO WAY stond er in scherpe lijnen met evenwijdige witte strepen naast alle letters. Dit was iets slechts wat iemand zomaar had gedaan, net als Dr. Death die zijn patiënten vermoordde omdat hij er toevallig zin in had.

Ik kreeg een akelig gevoel in mijn slokdarm.

Meestal als ik in de ondergrondse reis, ben ik samen met Kat en mama en soms papa. Dan vind ik het fijn om hun te vertellen wat de volgende halte is, zodat ze merken hoe goed ik de kaart kan lezen. En ik zeg ook hoeveel haltes we nog moeten. Maar nu waren ze niet bij me. Dus telde ik de stations en zei hun namen in mijn hoofd. Zo zou ik niet vergeten uit te stappen als dat moest.

Tussen Waterloo en Embankment gaat de metro onder de Theems door. Dat duurt lang. Ik zag een man strak naar een reclame voor autoverzekeringen staren. Hij zat op de bank onder de graffiti en zijn wenkbrauwen waren dicht bij elkaar. Hij had rimpels in zijn voorhoofd en hield zijn lippen op elkaar geklemd. Dat betekende dat hij boos was. Hij had ook een pleister op zijn wang.

Ik herinnerde me dat Sherlock Holmes zijn vriend Watson een keer verbaasde door hem precies te vertellen hoe hij had gedacht. Dat deed Sherlock Holmes door naar Watsons gezicht te kijken, op te letten waar hij zijn blik op richtte, en daaruit conclusies te trekken.

Ik concludeerde dat de man tegenover me dacht aan een auto-ongeluk dat hij had gehad, en waarbij hij gewond was geraakt. De reclame voor autoverzekeringen maakte hem boos omdat hij niet verzekerd was geweest.

Ik was zo tevreden over deze conclusies van me dat ik bijna vergat uit te stappen toen de trein stopte.

Een vrouwenstem uit een luidspreker zei: 'Dit is Embankment Station. Voorzichtig uitstappen alstublieft. Pas op de opening tussen de trein en het perron.' Ik sprong op, mijn hand fladderde en ik glipte nog net tussen de deuren door voordat ze dichtgingen. Ik viel bijna in de opening, maar toch niet.

Ik volgde de wegwijzers naar de groene lijn, in westelijke richting. Ik stapte in een metro waarop EALING BROADWAY stond. Ik moest zeven haltes mee. Het was een lichtere rit, dichter bij de oppervlakte. Ik zag flitsen daglicht en ik rook vochtige lucht. Ik probeerde niet om conclusies te trekken over gedachten van een andere passagier, maar concentreerde me op de volgorde van de haltes. Bij Earl's Court stapte ik uit. Het weer was veranderd. Er kletterde hagel op het golfplatendak van het station. Hagel is een bui onregelmatige ijsklontjes en komt altijd uit cumulonimbuswolken. Dus wist ik dat ik pal onder de wolk stond die ik eerder had gezien. Zo te horen hadden deze hagelstenen een diameter van tien tot vijftien millimeter. Ik liep door het kaartjeshek. In de stationshal bleef ik staan en keek met knipperende ogen naar de borden die naar de verschillende uitgangen wezen.

Er kwam een bewaker naar me toe. 'Hé, jongen,' zei hij. 'Ben je verdwaald?'

Ik vroeg me af of ik wel of niet met hem zou praten. Iedereen weet dat je niet met vreemden mag praten. Bij het London Eye hadden we met die onbekende man gepraat, en daardoor zaten we nu in de problemen. Maar deze man droeg een uniform van de Londense metro en dit betekende dat het zijn werk was om verdwaalde passagiers te helpen.

'Ja,' zei ik.

'Waar wil je naartoe?' vroeg hij.

'Earl's Court,' antwoordde ik.

'Dit is Earl's Court,' zei hij. 'Maar je bedoelt misschien het tentoonstellingscentrum?'

'Ja, het tentoonstellingscentrum,' bevestigde ik.

'Die trap op. Rechtdoor lopen naar de uitgang en dan is het aan de overkant. Een heel groot gebouw. Je kunt het niet missen,' zei hij. Hij zei niet één keer links of rechts. Hij wees alleen in de goede richting.

Misschien was hij ook een dyslectische geograaf.

'Pas op voor de hagel,' riep hij me na.

Misschien was hij ook een meteoroloog.

Ik liep de trap op en week een klein beetje af naar rechts,

omdat ik me voorstelde dat ik een projectiel was dat vanaf de evenaar naar het noordelijk halfrond was gegooid. De afstand die ik afweek was misschien wel gelijk aan de afwijking die veroorzaakt werd door de Coriolis-kracht. Dat gaf me een fijn gevoel.

27

Motorhel

Door kletterende hagel, met een gemiddelde diameter van ongeveer 12 millimeter, en aan de overkant van een drukke straat, doemde een groot gebouw op, waaraan een groot spandoek hing met de tekst: MOTOR- EN SCOOTERSHOW. De hagel hield op. Terwijl ik overstak, tikten de laatste korrels op mijn hoofd en schouders. In de hoofdingang stonden de mensen dicht op elkaar. Bij het loket was een 'mensenteller' die het aantal bezoekers van die dag bijhield. Het waren er nu 19.997 en het werden er snel meer.

Ik had nog nooit zo'n drukte gezien. Er waren vooral mannen in zwart leer met zilveren sierspijkers en zwarte glimmende bollen – helmen – op hun hoofd of onder hun arm. Ik had het gevoel dat ik vanaf de aarde naar een intergalactisch ruimtestation was gestraald. Waren het mensen of klonen? Ze lachten, ruzieden en schreeuwden. Ik wist niet wat ik ervan moest denken. Ze leken op de pestkoppen op school die in bendes rondlopen. Als je ze tegenkomt in de gang, kun je beter omkeren en maken dat je wegkomt. Deze mannen leken nog erger dan die jongens. Maar ze spuugden niet naar me, gaven me geen elleboogstoten tussen mijn ribben en noemden me geen nerd. Ze deden of ze me niet zagen. Dus ging ik in de rij staan voor een kaartje.

Toen zag ik een groep beveiligingsmensen bij de toegangspoortjes staan, die handbagage doorzochten en mensen met een handdetector controleerden op explosieven, net zoals op vliegvelden en bij het London Eye. Sommige mensen moesten hun tassen en zakken leeghalen. Maar ik keek alleen naar wat er op de T-shirts van de bewakers stond:

BETER

BEWAKING

Precies zo'n T-shirt had de onbekende man bij het London Eye gedragen. Maar nu kon ik alle letters zien. Ik keek naar de gezichten van de bewakers, maar de onbekende man was er niet bij. Ik kocht een kaartje en liet het afscheuren. Een van de bewakers streek met een detector langs mijn lichaam en gebaarde dat ik kon doorlopen.

Toen ik door een metalen hekje liep, versprong de mensenteller naar 20.054.

Ik bleef staan. T is letter 20 van het alfabet, E is letter 5, en D is letter 4. Het was net alsof de mensenteller mijn naam had opgeschreven: 20, 5, 4. TED. Misschien was dit mijn geluksdag. Misschien zou ik Kat vinden. Misschien zouden we samen de onbekende man vinden. Misschien zouden we zo Salim op het spoor komen. En misschien niet.

Ik liep de grote hal in en keek mijn ogen uit. Motoren brulden, banden piepten, filmmuziek schetterde, licht flitste, muziek dreunde. Overal rook het naar benzine en was. Op elke stand stond de naam van een motormerk. Honda. Yamaha. Suzuki. Op één stand stond: WELKOM IN HET MOTORPARADIJS. Motorhel konden ze beter zeggen.

De kleuren waren chroom, zwart en staalblauw.

De geluiden waren ronkende motoren en bonkende ritmes.

Op een reusachtig beeldscherm kwamen racemotoren recht op je af.

Zwaaiende meisjes in zwarte leren bikini's zaten op motoren die in de lucht hingen en nergens naartoe gingen.

Ik wist niet waar ik moest kijken. Telkens stopten mensen me folders toe of plakten stickers op mijn sweatshirt. Een vrouw gaf me een lot voor een loterij. Ik las: GRATIS LOT. WIN EEN SET DAMESLEER.

Wat dat ook was – ik wilde het niet hebben. Ik wilde dat ik Kat ergens kon vinden.

Ik liep tussen de lawaaiige stands door. Er kwam een man op me af die handschoenen droeg met sierspijkers en tatoeages had tot aan zijn nek. Hij begon tegen me te praten alsof hij me al mijn hele leven kende. Hij gebruikte een boel woorden die ik niet kende. GSX. Schijfremmen. Harley v-Rod. VFR. Kawasaki. Hij zweeg even.

'Misschien is een Tornado meer iets voor jou?' zei hij. Hij legde een hand op mijn arm en wees naar een model boven ons met een zilveren afbeelding erop van een wervelwind die op het punt stond de bodem te raken.

'Hrumm,' zei ik, en mijn hand fladderde.

'Je hebt gelijk. Beter is er niet,' zei hij. 'Dit is de top, de enige echte, de...'

Ik ging ervandoor.

Uit een luidspreker klonk een aankondiging: 'Kom nu naar de schans in Hal Twee voor de springdemonstratie vrije stijl. Snel. De show begint over twee minuten.'

Bijna al het publiek liep opeens dezelfde kant op. Ik werd meegevoerd naar een andere grote hal. In het midden was een reusachtige schans. Hij zag eruit alsof je bergbeklimmersspullen nodig had om boven te komen. Midden in de lucht hield hij op, als een weg naar nergens. Er startte een zware dreun van een verbrandingsmotor. Wrrrreueueung, wrrrreueueung, klonk het, steeds hoger. Toen zag ik het: een flits van chroom, een witte helm, die bijna als een raket omhoogging. Een motor die ging springen. Bovenaan verliet de motor de schans. Hij vloog door naar boven. Hij raakte bijna het dak. Toen kwam hij weer omlaag, omlaag, omlaag.

Ik deed mijn ogen dicht. De berijder van die motor zou geplet worden, doodgaan, en ik wilde het niet zien.

De menigte klapte en juichte. Ik deed mijn ogen open. De motor was meters verderop geland. Ik had een akelig gevoel in mijn slokdarm. Ik hield mijn handen voor mijn oren. De berijder was gek. Hij remde, stapte van zijn motor en zette zijn helm af.

Er vielen lange blonde haren uit. Het was een vrouw. Mannelijk of vrouwelijk – het hangt ervan af hoe je ernaar kijkt. De toeschouwers snakten naar adem. Toen werd er weer geklapt en gejoeld. Mensen stampten met hun voeten. De vrouw lachte, schudde haar haren uit en zwaaide met een hand in een leren handschoen naar het publiek. Ze stapte weer op haar motor en stoof terug naar de start.

Er klonk nieuw geronk. De volgende deelnemer racete tegen de schans op, maakte een krankzinnige sprong, vrije stijl, en toen de volgende.

Bij de laatste sprong gebeurde er een wonder. Ik zag Kat. Ze stond maar een paar meter van me vandaan, vooraan bij het hekje, en staarde omhoog naar de springende motoren. Ze had haar ogen en mond wijd open als drie vliegende schotels.

Ik ging naar haar toe en trok aan de mouw van haar jack met bontkraag. Eerst merkte ze het niet. Ik trok nog eens. Toen draaide ze zich met een ruk om. Haar ogen werden nog groter en veranderden daarna in spleetjes. Haar hele gezicht trok samen en ze keek gemeen.

'Verdomme, Ted!' brulde ze zo hard in mijn oor dat het pijn deed. 'Wat doe jij hier?'

28

Ontmoetingen

'Kat,' zei ik. Mijn hoofd draaide opzij. Hoewel Kats stem bijna als een supersone knal mijn trommelvlies had laten barsten, was ik blij. Meneer Shepherd zegt dat ik eraan moet denken om te glimlachen als ik mensen begroet. Dus glimlachte ik.

Kat keek om zich heen. Haar stem daalde tot een zacht gesis. 'Ben je alleen?'

'Ja.'

'Zijn mama en tante Glo niet bij je?'

'Nee.'

'Zijn ze nog thuis?'

'Ja.'

'Je hebt me niet verraden?'

'Nee.'

Ze omhelsde me. 'Goed zo, broertje. Waar denken ze dan dat we zijn?'

Mijn hand fladderde. Ik pakte hem vast met mijn andere hand. 'Niet bij Tiffany, Kat,' zei ik. 'Ze denken dat we zijn gaan zwemmen.'

Kat keek me aan. Haar hoofd ging op en neer zoals bij zo'n hondje voor op de hoedenplank van een auto. 'Nog een leugen, Ted. Als je zo doorgaat, word je nog bijna normaal.'

Ik vertelde haar hoe ik de weg had gevonden in de metro. En hoe ik had ontdekt wat er op het T-shirt stond, en naar Beter

Bewaking had gebeld en met de uitzendkracht had gesproken.

'Ik heb haar ontmoet,' zei Kat. 'Ik ben er zelf naartoe gegaan. Ze heet Claudette en ze rookt sigaretten.'

'Ze had het over jou,' zei ik. 'Ze vertelde dat jij dezelfde man zocht. Weet je, Kat...'

'Wat?'

'Dat was een goede leugen die je hebt verteld.'

'Welke?'

'Die over de inhalator.'

'Ja. Daar was ik trots op. Hij werkte goed. Ze vertelde hoe hij heette – Christy – en waar hij was. Daarna vertelde ze me alles over haar liefdesleven. Ze zei dat ze zich doodverveelde. Ze vijlde haar nagels, kauwde kauwgum en rookte tegelijk. En weet je wat ze nog meer deed?'

'Nou?'

'Ze bood me een sigaret aan.'

'Hrumm.'

'Ik heb hem aangenomen.'

'Hrumm.'

'Niet hrummen, Ted. Ik heb hem niet gerookt. Niet echt. Ik heb een paar trekjes genomen. Maar het was mijn merk niet. Het smaakte naar een koeienstal.'

We liepen samen door de eerste hal. Kat scheen het niet erg te vinden dat ik er was. Ze keek alle kanten op. 'O, wat zou ik die graag willen hebben!' fluisterde ze, en ze begon de motortaal te spreken. 'Honda VFR... Bell's Firebolt... Guzzi,' mompelde ze, terwijl ze me meesleepte langs de stands. Ik kon haar bijna niet bijhouden. Ze wees naar de metallic lak en bewonderde de grootste, snelste modellen. Zij was in het motorparadijs. En ik was in de motorhel. Ik vroeg me af waarom we die onbekende man niet op een rustigere plek konden opsporen. In een bloemenwinkel of op een antiekbeurs, of op een echt interessante plek, zoals het wetenschapsmuseum?

Toen zagen we hem.

Daar stond hij, zes meter van ons vandaan, in dezelfde kleren als hij bij het London Eye had gedragen, behalve dan het jack. Hij praatte in een walkietalkie. Kat sleurde me achter een stand. Ik trok me los.

'Hij mag je niet zien,' siste ze.

'Waarom niet?'

'Dit regel ik.'

'Maar...'

'Niets te maren.'

'Ik ga mee, Kat.'

'Nee hoor. Helemaal niet. Dat is een bevel.'

'Een bevel?'

'Ja, die mag ik geven. Ik ben ouder.'

'Ik ben slimmer. Dat heb je zelf gezegd.'

'Onzin.'

'Ja hoor, Kat. Je zei dat je mijn hersenen nodig had.'

Kats neusvleugels trilden. Dat doet ze als ze op het punt staat uit te barsten als een supervulkaan. Toen vergat ze het en pakte me vast. 'Hij komt deze kant op,' fluisterde ze.

Hij stond pal voor ons.

Kat deed een stap naar voren. 'Meneer!' riep ze.

De man praatte weer in zijn walkietalkie. Hij draaide zich om, zag Kat, stak een hand omhoog en praatte verder.

We wachtten.

'Over en sluiten,' zei hij in de walkietalkie. Hij keek Kat recht aan. 'Wat kan ik voor je doen, jongedame?' zei hij. 'Ben je verdwaald?'

Toen glimlachte hij. Het was een glimlach die me niet beviel.

Met één opgetrokken wenkbrauw en zijn hoofd schuin bekeek hij Kat van onder tot boven. Toen zag hij mij. Mijn hand fladderde en mijn hoofd draaide opzij. Zijn ogen werden groot en zijn mond ging een beetje open. Hij keek over zijn schouder en ging van de ene voet op de andere staan. Een tel later verscheen er weer een glimlach op zijn gezicht, een nanoseconde lang.

'Zijn jullie verdwaald?' vroeg hij weer.

Kat glimlachte terug. 'Nee,' zei ze.

'Nou, vooruit dan. Veel plezier.'

'Wij zijn niet verdwaald,' legde Kat uit. 'Maar iemand die we kennen, wel.'

'O ja?'

'We dachten dat u ons misschien zou kunnen helpen.'

'Als je iemand kwijt bent, kun je het beste naar de informatiebalie gaan. Dan roepen ze het om.'

'Hij is hier niet verdwaald, maar twee dagen geleden. Bij het London Eye.'

De man haalde zijn schouders op. 'Nou en?'

'Ik bedoel écht verdwaald. De politie is naar hem op zoek. Het gebeurde vlak nadat u naar ons toe kwam en ons dat kaartje gaf. Weet u het nog?'

De man staarde ons heel lang aan. Ik keek naar zijn ogen. Ze werden iets smaller. En de pupillen leken kleiner te worden.

'Het Eye...' zei hij. 'Dus daar ken ik jullie van. Ik vergeet nooit een gezicht.'

'Weet u het weer?'

'Nu wel, ja. Ik heb hoogtevrees. Ik word ontzettend duizelig. Jullie zijn de kinderen aan wie ik mijn kaartje heb gegeven. Maar ik weet niets over jullie vriend die verdwaald is. Wat toevallig dat we elkaar hier weer ontmoeten.'

Ik wilde hem vertellen over de letters op zijn T-shirt. Maar Kat stootte me aan met haar elleboog. Dat betekent: 'Hou je mond.'

'Ja, reuze toevallig,' zei ze.

'Houden jullie van motoren?'

'Ja,' zei Kat. 'Ik ben er dol op.'

'Het is een fantastische show dit jaar. De beste die er ooit is geweest. Hebben jullie het vrije-stijl-springen gezien?'

'Ja.'

'En, wat vond je ervan?'

'Het was ongelooflijk.'

'Als ik jullie was, zou ik teruggaan naar hal twee. Over een paar minuten gaan ze lesgeven op lichte scooters.'

'Echt waar?'

'Voor je het weet, race je rond de kegels.'

'Eerlijk?'

'Ja. Ga maar gauw. Als je naar mijn collega John vraagt, zet hij je als eerste op een scooter. Zeg maar dat ik het heb beloofd.'

'O... bedankt!'

'Laat maar zitten. Ik hoop dat jullie je vriend vinden.' Hij salueerde met zijn walkietalkie, glimlachte en liep weg.

'Hrumm,' zei ik.

Kats hoofd draaide opzij. Ze keek somber. 'Verdomme,' zei ze.

We bleven staan en er liepen voorbijgangers tegen ons op, terwijl we keken hoe de onbekende man in de menigte verdween, net als bij het London Eye.

'Einde verhaal,' zei Kat. 'Ik had het kunnen weten.'

'Kunnen weten?' zei ik.

'Het was een doodlopende weg.'

'Een doodlopende weg,' herhaalde ik.

'Herhaal niet alles wat ik zeg! Zullen we bij die scooterlessen gaan kijken?'

Ze sleepte me terug naar de tweede hal en vond de man die John heette. Ik keek hoe ze een helm opzette en op een scooter klom. Ze reed weg. Ze wiebelde, zwenkte, liet de motor razen en giechelde. Mijn hand fladderde elke keer dat ze een bocht maakte, want het zag eruit alsof ze zou vallen en haar nek zou breken. Ze slingerde rond de kegels en ging harder rijden. Ik keek nog even. Toen deed ik mijn ogen dicht en stak mijn hand in de zak van mijn jack. Ik dacht na.

Salim die verdween. De politie die hem zocht.

Tante Gloria die jammerde. Mama die boos was.

Kat die huilde. Ik die loog.

De onbekende man... Zijn gezicht en ogen toen hij ons voor het eerst zag... Het meisje dat de eerste sprong maakte... Hoogtevrees en claustrofobie... Mijn hersenen deden wrrrreueueung, wrrrreueueung, net als de motoren.

Ik deed mijn ogen open.

Kat stapte van de scooter en gaf de helm terug. Ze kwam naar mij toe, terwijl ze met wijd open ogen glimlachte.

'Dat was geweldig, Ted. Jij moet het ook proberen.'

Ik schudde mijn hoofd. 'Nee hoor, helemaal niet.'

'Weet je, Ted, toen ik op die motor zat en rond de kegels slingerde...'

'Ja, wat?'

'Op die motor kan ik denken.'

'Denken?'

'Ja. Ik zat op de motor en hoorde het lawaai niet. De stemmen stierven weg. Ik was alleen. Helemaal alleen. Het enige wat ik hoorde waren mijn eigen gedachten. Mijn gedachten over Salim. En toen wist ik het opeens, Ted.'

'Wat wist je?'

'Ik wist dat hij loog. Die man, Christy. Hij loog.'

Ik knikte. Die conclusie had ik ook al getrokken. We waren het met elkaar eens. We dachten hetzelfde, op hetzelfde moment. Dat komt niet vaak voor bij Kat en mij. 'Ja, Kat. Hij liegt.'

Misschien kwam het doordat ik die dag zelf een leugenaar was geworden. Daardoor wist ik hoe dat was. Toen hij wegliep, begreep ik meteen dat hij had gelogen. Niet door wat hij zei, maar doordat hij ons probeerde af te leiden van wat we wilden weten. Hij was een soort Coriolis-kracht, die ons een andere kant op probeerde te sturen. En er was nog iets anders wat niet klopte. Bij het London Eye had hij gezegd dat hij toch niet wilde gaan omdat hij bang was om opgesloten te zijn in een kleine ruimte. Dat heet claustrofobie. Maar vandaag zei hij dat hij hoogtevrees had.

'We moeten hem nog een keer zoeken,' zei Kat, 'en hem dwingen ons de waarheid te vertellen.'

'Ja, Kat. De waarheid.'

'We zijn een team, jij en ik. Kom mee, Ted.'

29

In de achtervolging

Maar we konden hem niet vinden.

De hal was barstensvol. Mijn hand fladderde zo erg dat ik hem van Kat onder mijn jack moest houden. Ze begon nu weer gemene, valse Miss Catastrofe te worden. Onze hersenen werkten precies andersom. Uiteindelijk kwamen we terug bij de ingang. Er stonden een paar bewakers, maar de onbekende man was er niet bij. Kat sprak een vrouwelijke bewaker aan die iemands tas aan het doorzoeken was.

'Mevrouw,' zei Kat.

De vrouw keek op, met haar mondhoeken omlaag. 'Ja, wat?' snauwde ze.

'Weet u waar Christy is?'

'Christy? Wat gaat jou dat aan?'

'Hij is een vriend van ons. Ik moet hem iets vertellen.'

'Vertellen?'

'Ja, iets belangrijks.'

'Waarover?'

'Het is privé.'

'Privé?' De vrouw gaf de handtas die ze had doorzocht terug aan de eigenares. 'Hij heeft net gebeld. Hij zegt dat hij last heeft van zijn maag. Hij gaat naar huis. Dus moeten wij drieën het werk verder alleen doen. En we hebben geen tijd om met zijn vrienden te kletsen. Snap je?'

'Ja,' zei Kat.

'Het is altijd hetzelfde liedje. Hij is ziek, hij moet naar de tandarts, of er is een oom dood. Het is een stortvloed van smoezen.' Haar mondhoeken gingen weer omlaag en ze schudde haar hoofd. 'Huh! Hij heet niet voor niets zo. Als je hem nog te pakken krijgt op weg naar de metro, kun je een boodschap van me overbrengen. Ik ben het zat dat hij altijd ziek is. Hij hoeft morgen niet meer te komen. Hij vliegt eruit.'

'Vliegt eruit?' herhaalde ik. In gedachten zag ik Christy de hal uit vliegen.

'Ja, ik geef hem de zak, stuur hem de laan uit. Kies zelf maar.'

Ik staarde haar aan, en Kat ook.

Toen greep Kat me bij mijn mouw. 'Snel, Ted!' Ze stoof langs de andere mensen die weggingen, en sleurde mij met zich mee. Ik trapte drie mensen op hun voeten, maar het waren grote motorrijders met zware zwarte laarzen en ze merkten het niet eens. We waren weer in de open lucht, staken over bij de stoplichten en ik had maar net tijd om te zien wat voor weer het was (hoge stratuswolk, zon), voordat we het metrostation indoken en naar de toegangshekjes renden. We vingen een glimp op van de onbekende man, die naar het oostelijke perron liep.

'Daar is hij!' gilde Kat. 'Snel!'

Ik haalde mijn kaartje uit mijn zak. Mijn hand fladderde zo hard dat ik het liet vallen. Kat krijste en ik raapte het op. De machine trok het uit mijn hand en spuugde het boven weer uit.

'Pak het, Ted, pak het.'

Ik was vergeten dat het hekje pas open gaat als je je kaartje hebt teruggepakt. Ik pakte het en liep door.

'Rennen!'

Ik rende haar achterna, met mijn hoofd schuin opzij. Ze stormde een wagon binnen. De deuren piepten en begonnen dicht te gaan. Ik stapte naar binnen en raakte vast. Ik had het gevoel dat ik van drie naar twee dimensies werd geperst. Kat rukte aan de deuren en sleurde me naar binnen.

'Sukkel!'

Ze was in een orkaan veranderd, niet te stuiten. 'Hij is in de wagon hiernaast, niet ver van de deur. Ik kan hem zien,' zei ze. 'Ik zal hem in de gaten houden. Als hij uitstapt, doen wij het ook.'

Het was een ratelende ouderwetse metro die piepte en schokte. Bij de scherpere bochten hielden we ons stevig vast aan de stang. Sloane Square. Victoria. Blackfriars. Tower Hill. Aldgate East. De eindbestemming was Upminster. Gingen we daar helemaal naartoe? Na Stepney Green dook Kat in elkaar als een tijger die zich klaarmaakt voor de sprong. Ze trok mij mee in net zo'n houding. 'Hij staat op,' siste ze.

De metro remde. Hij reed Mile End binnen en stopte. Even gebeurde er niets. De seconden tikten voorbij. Iedereen wachtte zwijgend. Een man tegenover ons tikte met zijn voet op de vloer. Toen gingen de deuren met een swoesj open. Kat greep me vast en stoof de trein uit. Ze liep bijna een meneer tegen de grond die wilde instappen.

'Sorry!' mompelde ze, terwijl ze me meetrok aan de mouw van mijn sweatshirt. Ze dook weg achter een machine die warme chocolade verkocht. De onbekende man liep met grote stappen over het perron, een trap op.

'Nu!' zei Kat.

We kwamen tevoorschijn van achter de chocolademelkmachine. 'Niet rennen,' zei Kat. 'Slenteren.'

'Slenteren,' zei ik. Ik ben niet goed in slenteren, maar ik deed mijn best. We slenterden over het perron, de trap op, door het hek van de kaartjescontrole, naar de uitgang.

Kat ontdekte hem aan de overkant van de straat. We staken ook over en slenterden verder achter hem aan. Hij keek niet één keer om. Hij had zijn handen in de zakken van zijn jack en hield zijn hoofd omlaag alsof hij hard nadacht. Op een hoek met verkeerslichten bleef hij staan voor een kroeg die de Falcon Arms heette. Wij bleven ook staan. Even later ging hij de kroeg in.

Het was een groot, grauw gebouw met hoge erkers zonder gordijnen. Boven de ingang hing een slap spandoek met het opschrift: DE HELE DAG OPEN. Daarboven hing een uithangbord waarop een valk geschilderd was die met een muis in zijn snavel op een tak zat. Aan de manier waarop de staart van de muis naar achteren wapperde, kon je zien dat het op die afbeelding hard woei, misschien wel windkracht zeven.

'Wat nu, Kat?' vroeg ik.

'We wachten,' zei Kat.

'We wachten.'

'Zolang als nodig is.'

'Je weet wat papa zegt.'

'Wat?'

'Een kroeg is een zwart gat. Mensen gaan erin en komen er nooit meer uit.'

'Dat is een grapje, Ted.'

We stonden vijf minuten op de straathoek. Kat begon onrustig te worden. Het verkeer raasde langs. Kat zei dat ze zich een kat in een vreemd pakhuis voelde. Dat van het pakhuis begreep ik niet. Ik wilde haar net vragen wat ze bedoelde toen ze zei: 'Ik ga naar het raam van de kroeg sluipen, Ted. Blijf hier.'

Ik keek hoe ze naar voren sloop. Ze ging naar de erker alsof ze een geheim agent was die de wereld moest redden. 'Hij hangt aan de bar,' siste ze naar mij. Ik stelde me voor dat hij met touwen aan de bar was opgehangen.

Ze keek weer naar binnen. 'Hij heeft een hoog glas met iets bruins voor zich, maar hij heeft er nog bijna niets van gedronken,' meldde ze. 'Hij kijkt tv op een groot scherm.'

Ze kwam naar mij terug. 'Hij blijft daar misschien nog wel even. Zullen we oversteken en voor de televisiewinkel bij die bushalte gaan staan? Dan kunnen we tv kijken en denken de mensen dat we gewoon op de bus wachten.'

We staken over bij de verkeerslichten en staarden naar de tv's in de etalage: ik zag mensen die praatten, lachten en met hun hoofd schudden. Het was een soort quiz. We konden het zien, maar niet horen. We hadden achttien tv's om uit te kiezen, maar ze waren allemaal afgestemd op dezelfde zender. De quiz was voorbij en nu kwam het nieuws. Achttien schermen met soldaten in een ver land, die zwaar bewapend door stoffige straten liepen. Achttien schermen met Afrikaanse kinderen zonder kleren en met vliegen rond hun grote ogen. Je kon zien dat ze honger leden. Achttien schermen met de minister-president die een toespraak hield op een bijeenkomst. Zijn handen fladderden boven het spreekgestoelte, een beetje zoals bij mij.

En toen: achttien schermen met onze woonkamer. Achttien keer onze bank, achttien keer Rashid, achttien keer tante Gloria met haar witte sweater, oranje lippen en bleke wangen. Ze praatte. De camera zoomde in. Ik kon zien wat ze zei: 'Alstublieft!' Kats snakte naar adem.

'Tante Glo!' gilde ze. 'Onze woonkamer! Op tv!'

'Ik ben vergeten het te vertellen,' zei ik.

'Wat ben je vergeten te vertellen?'

'Ze hebben de pers erbij gehaald.'

'De pers?'

'Ze kwamen met een grote bestelbus.'

'Terwijl ik weg was?'

'Ja, Kat.'

'En dat heb je me niet verteld?'

'Nee.'

Kat rolde met haar ogen.

'Ik kreeg de kans niet, Kat. Met al die motoren om ons heen.'

We zagen achttien opnamen van onze woonkamer overgaan in achttien foto's van Salim in zijn schoolblazer, waarop hij niet blij en niet droevig kijkt. Daarna kwam er een telefoonnummer in beeld om de politie te bellen.

Dat was het eind van het bericht. Het volgende ging over de nieuwste ruimtevlucht naar Mars. Een robotwagentje verzamelde bodemmonsters. Kat staarde ernaar zonder iets te zien en zei telkens tegen zichzelf: 'Onze woonkamer op tv.' Ik had belangstelling voor de beelden van het kale landschap en vroeg me af wat voor weer het op Mars was en of daar ooit leven was geweest. We hadden allebei niets in de gaten tot het te laat was. Een stevige hand greep mijn schouder vast, en die van Kat. Ik draaide me om, en Kat ook. Voor ons stond de onbekende man.

Hij rook naar alcohol. Zijn ogen waren smalle spleetjes. Ik wist wat dat betekende. Woede.

Hij kneep zo hard in mijn schouder dat het pijn deed. 'Jullie weer,' siste hij.

30

De weg naar nergens

Kat zei niets. En ik zei ook niets.

Zijn greep verslapte. Hij deed een stap achteruit. Hij veegde zijn mond af met de rug van zijn hand. 'Jullie zijn me gevolgd, hè? Jullie zijn me hierheen gevolgd vanaf de motorshow.'

Kat knikte.

'Die vermiste jongen, over wie ze in het nieuws vertelden. Zoeken jullie die?'

'Ja,' zei Kat. 'Hij is niet zomaar een jongen. Hij is onze neef Salim.'

'Waarom denken jullie dat ik er iets mee te maken heb?'

'Omdat het is gebeurd vlak nadat u ons dat kaartje gaf. Salim is omhooggegaan in het London Eye. Maar hij is niet meer omlaaggekomen.'

De onbekende man keek ons aan met één kant van zijn mond omhoog, de andere omlaag, zijn neus opgetrokken, en zijn wenkbrauwen gefronst. 'Gekke kinderen!' zei hij. Maar hij keek ons niet aan. Zijn ogen waren omhoog gericht alsof we boven hem in de lucht zweefden.

'We zijn niet gek,' zei Kat.

Hij keek omlaag en glimlachte eigenaardig naar ons. 'Die neef van jullie is omhooggegaan en niet meer naar beneden gekomen, zeg je?'

'Ja.'

'Kinderen gaan niet in rook op.'

Kat zuchtte. 'Dat zei de politie ook.'

De man keek nu even mij aan.

'Het is belangrijk,' zei Kat. 'De politie zoekt hem en nu is het ook op tv.'

'Ik weet niets. Dat heb ik al gezegd.'

'Hebt u echt gewoon dat kaartje gekocht en toen besloten om het niet te gebruiken?'

De man keek om zich heen en liep achteruit. 'Zo was het niet helemaal,' zei hij. Bij de halte stopte een volgeladen bus. Een vrouw met een buggy worstelde om in te stappen. De chauffeur staarde naar haar met zijn mondhoeken omlaag. De onbekende man wierp een blik op de bus en keek ons weer aan.

'Er was een chick,' zei hij haastig. De motor van de bus raasde. De wielen van de buggy draaiden terwijl de vrouw hem door de lucht tilde. Mijn hand fladderde.

'Een chick in de rij. Zij gaf me het kaartje.'

'Een chick?' zei ik, en ik vroeg me af of hij het over kippen had.

'Ja, een chick met donker haar. Ik kende haar niet. Ik kwam gewoon langs. Ze riep me en vertelde dat haar vriendje niet was komen opdagen. Ze vond het jammer om zijn kaartje niet te gebruiken, maar wilde toch ook haar plaats in de rij niet opgeven. Daarom vroeg ze of ik het aan jullie wilde geven.'

'Waarom aan ons?' vroeg Kat.

De man haalde zijn schouders op. 'Ik weet het niet. Misschien omdat jullie kinderen waren en helemaal achteraan stonden. Ze had medelijden met jullie.' Opeens rende hij naar de bus, vlak voordat de chauffeur de deuren dichtdeed. 'Jullie moeten het aan haar vragen. Niet aan mij. Als jullie haar kunnen vinden.' Hij lachte eigenaardig.

'Wacht!' schreeuwde Kat. 'Niet weggaan! Wacht!' Ze rende hem achterna, maar de nijdige chauffeur schudde zijn hoofd en riep: 'Vol!' Hij deed de deuren vlak voor haar neus dicht.

De onbekende man hield zijn handen omhoog met de palm naar boven. De bus schoot naar voren en reed weg door de hoofdstraat.

'Barst!' zei Kat.

'Hrumm,' zei ik.

'Hou je mond!' riep Kat.

De bus met de onbekende man verdween onder een viaduct. Kat balde haar vuisten en stompte ermee op haar dijen als een bokser die tegen zichzelf vocht. Daarna schopte ze een colablik-je van de stoep in de goot. 'De weg naar nergens,' zei ze zo hard dat er voorbijgangers naar ons keken. 'Gewoon stomme tijdver-spilling.' Bij tijd stampte ze op het blikje. 'De weg naar nergens.' Ze stampte nog eens, tot het blikje zo plat was als een pannen-koek. 'Nergens.' Ze barstte in tranen uit. 'En waar is die stomme metro? Dat weet ik niet eens meer.'

31

Het pad van de orkaan

Op de een of andere manier vond Kat de weg terug naar de metro. Ze liep met grote stappen de straat door, terwijl ik haar probeerde bij te houden en mijn hand fladderde. Ze vroeg de weg aan een man die een hek aan het schilderen was, en hij wees met een vinger. Daarna liep ze snel verder alsof ik er niet bij was. Maar het lukte me om haar bij te houden tot we bij de metro waren.

Tijdens de lange terugreis zeiden we niets tegen elkaar. En toen we naar onze eigen straat liepen, zei ze nog steeds niets. Maar ze liet me nu wel naast zich lopen en haar mondhoeken hingen omlaag. Dat betekende dat ze eerder verdrietig was dan boos.

Voor ons huis bleef ze staan en zei: 'We krijgen ervan langs, Ted. Ons haar is niet eens nat.'

Ik voelde verbaasd aan mijn haar. Toen herinnerde ik het me. Ik had geschreven dat we gingen zwemmen.

'Misschien kunnen we ongemerkt naar binnen sluipen,' fluisterde Kat. Ze haalde haar sleutel tevoorschijn en wilde hem in het slot steken, maar de deur vloog open.

Mama stond voor ons en versperde de doorgang. Haar haar zat in de war en haar ogen waren zo groot als vulkaankraters. Ze hield onze zwemspullen omhoog: Kats bikini, twee duikbrillen en mijn zwembroek. Ze snotterde, liet alles vallen, omhelsde ons, deed of ze Kat een oorvijg gaf, en gilde: 'Ongehoorzaam, leugenachtig, brutaal kreng dat je bent... En jij, Ted, ik begrijp er niets van. Wat bezielt je om te liegen dat jullie gingen zwemmen? Ik was doodongerust. Ik...'

Kat hield haar handen voor haar oren en liep langs haar.

'Je knijpt er niet tussenuit voor ik met je klaar ben!'

Ik aarzelde in de deuropening. Wat bedoelde ze daar nou weer mee? 'Het spijt me, mama. Het spijt me,' mompelde ik omdat ik begreep dat ze boos was. Maar ze hoorde me niet. Ik raapte de spullen op die ze had laten vallen. Ze sleurde me het huis in en smeet de deur dicht.

'Die mevrouw Hopper van de overkant gluurt weer naar buiten. God mag weten wat de buren ervan denken! Lui van de tv, politieauto's... Ik kan niet meer. Gloria is gek geworden, jullie tweeën zijn weg... Kunnen jullie je voorstellen hoe ik me voel?'

Kat lachte. Ze gaf een schop tegen de plint en joelde honend. 'De buren!' gilde ze. Ze sloeg dubbel van het lachen. 'Wat een shit! Echt iets voor volwassenen.' Haar stem ging een octaaf omhoog en ze zei gemaakt: 'God mag weten wat de buren ervan denken. Gaat het daarom, mama? Wat de buren denken? We hebben ons best gedaan om te helpen. Om Salim te vinden. Maar dat interesseert jou niet, hè? Je wilt niet eens weten wat wij denken. Het enige wat jou kan schelen is wat de buren denken. Wat doet het ertoe of Salim dood is?'

Mama stond oog in oog met Kat. Het drong tot me door dat ze precies even groot waren.

'Dat mag je niet zeggen. Dat mag niet...'

Mama's hand schoot omhoog alsof ze Kat hard op haar wang wilde slaan, maar op het allerlaatst hield ze in. Haar stem stierf weg.

Het leek of de temperatuur in de gang tot min dertig daalde.

Kat keek mama met grote, felle ogen aan. 'Ja, sla me maar,' siste ze.

Mama schudde haar hoofd en ik zag tranen over haar wangen stromen. Haar hand viel omlaag langs haar lichaam.

Ik deed een stap naar voren. 'Mama? Kat?' zei ik, maar ze reageerden niet.

Kats lippen begonnen te trillen. Ze duwde mama opzij en jammerde: 'Ik haat je, ik haat je.' Ze rende naar boven en struikelde halverwege de trap. 'Ik haat je.' Er werd een deur van een slaapkamer dichtgesmeten. Toen viel er boven iets stuk.

Ons huis lag op het pad van de orkaan. Zo noem ik het als mensen echt nare ruzies krijgen en het lijkt of je op de ellendigste plek van de hele wereld bent.

Mama ging onderuitgezakt op de onderste tree van de trap zitten en leunde met haar hoofd op haar handen. Haar schouders schokten en ze maakte een raar geluid.

Zo had ik mama nog nooit gezien.

'Nee, nee,' kreunde ze wiegend. 'Houdt het dan nooit op?' Ik wist niet zeker tegen wie ze het had, en keek om me heen. Ik was de enige in de gang. Dat betekende dat ze tegen mij praatte of tegen God. 'O mijn God,' zei ze.

Dus ze praatte tegen God, niet tegen mij. Ik kon weggaan.

Ik besloot om in de achtertuin naar het weer te gaan kijken.

32

Zonnewind

Ik liep snel door de keuken naar de achtertuin. Mijn hand fladderde. Weeroverzicht van de meteorologische dienst: Fitzroy, overwegend noordelijk, vier tot vijf, veranderlijk, onweersbuien... Ik liep van de ene kant van de achtertuin naar de andere en telde mijn stappen. Twaalf en een halve stap lang en zeven stappen breed. Ik dook onder de waslijn met droge was door en pakte even een laken vast. Er bleef een vieze vlek achter. Mijn vingers waren nog zwart van het bladeren in het telefoonboek. Software Oplossingen Oog van de Naald. Dat had ik nu nodig. Een oplossing voor iets onmogelijks. Hoe je door het oog van de naald kunt kruipen. Hoe je kunt verdwijnen uit een afgesloten cabine. Ik dacht aan het meisje op de motor, de roze mouw op de foto, papa's scheermes, de onbekende man en de vrouw die zei dat hij eruit vloog, de onbekende man zelf die zei dat we een 'chick' met donker haar moesten zoeken, en ook aan wat tante Gloria eerder had gezegd: 'Als hersenen Salim terug naar huis zouden kunnen halen, zouden het die van jou zijn.'

Ik hield mijn handen over mijn oren en schudde met mijn hoofd. Het voelde alsof mijn hersenen oververhit waren en gingen smelten. Ik liep heen en weer door de tuin en telde nog een keer mijn stappen. Maar nu kwam ik op een verkeerd getal uit – elf en een half in plaats van twaalf en een half. Dus waren mijn benen in een paar minuten hard gegroeid, of het heelal was gekrompen, in plaats van uit te zetten. 'Wrrreueueung,' deed ik, net als de motoren in Earl's Court. Ik keek omhoog naar de lucht. Avond. Hoge stratuswolken, frisse zuidwester, dalende luchtdruk. Een van papa's overhemden aan de lijn fladderde tegen mijn hoofd. De wind stak op. Ik liep naar het schuurtje en schopte er een paar keer tegen.

Ik ben geen filosoof. Ik ben een meteoroloog. Maar ik geloof in mediteren. Boeddhisten geloven dat je door je hoofd leeg te maken verlichting kunt bereiken. Het schuurtje schoppen is een goede manier om je hoofd leeg te maken. Het is net zoiets als op een trampoline springen. Je schopt of springt, springt of schopt, en na een tijdje marcheren al je gedachten je oren uit als een rij speelgoedsoldaten op weg naar de rand van de tafel. Jij blijft achter met niets – het lege niets waarover ik Salim had verteld, dat angstaanjagend en eenzaam is, maar ook eenvoudig en helder.

Ik sloot mijn ogen en stelde me een uitgestrekte, stille leegte voor. Ondertussen ging ik door met schoppen. Bij de zevenentachtigste schop was ik leeg van binnen. Een soort zonnewind bereikte mijn hersenen. Geladen deeltjes schoten als bliksem door mijn hoofd en veroorzaakten vreemde flitsen gekleurd licht. Langzaam vormde zich een beeld. Het was alsof het noorderlicht oplichtte in mijn hersenen. Het fonkelde zo sterk dat het pijn deed. Het patroon waarvan ik eerder die dag een glimp had opgevangen, kwam terug. En deze keer verdween het niet. Ik greep het vast en liet niet los. Ik zorgde ervoor dat het bevroor, net als ijs.

Opeens wist ik het. Niet waar Salim was. Maar hoe hij was verdwenen.

33

Het geluid van de storm

Als je midden in een storm tegen mensen probeert te praten, verstaan ze je niet. Door het geluid van de storm kunnen ze de woorden niet horen.

Donder, regen en wind.

En alles wat door de storm beweegt – bladeren, dakpannen, afval.

Toen ik uit de tuin naar binnen kwam, was ik zevenentachtig schoppen tegen het schuurtje wijzer, maar ik kon me niet verstaanbaar maken. Papa kwam net terug van zijn werk. Mama zat nog steeds op de trap. Voordat hij zijn jas uit had, rende ze al naar hem toe. Ze sloeg haar armen om hem heen en legde haar hoofd op zijn schouder.

'O, Ben, ik ben zo blij dat je thuis bent.'

'Faith, lieverd – wat is er? Slecht nieuws?'

'Niet sinds ons laatste gesprek. De pers is hier geweest. Twee keer. Glo is al de hele dag vreselijk. Vanmiddag had ze een paniekaanval. Ze kon geen lucht krijgen. Ik heb de dokter gebeld en hij heeft haar slaappillen gegeven. Ze is boven, helemaal buiten westen. Het is haar eerste echte slaap sinds Salim vermist wordt. En de kinderen zijn er gewoon vandoor gegaan zonder het te vragen. Ted had een briefje neergelegd dat ze gingen zwemmen. Stel je voor! Hij heeft gelogen, Ben. Ik wist me geen raad. Ik dacht dat we hen ook kwijt waren. En Rashid is de straat op gegaan om te wandelen. Hij zei dat hij gek werd van het rondhangen en wachten. Maar nu zijn de kinderen net terug. O, Ben, ik was zo blij. Ze kwamen binnen door de voordeur, en Kat en ik... Kat en ik....'

'Sst...'

'We kregen ruzie.'

'Dat is niet de eerste keer.'

'Een vreselijke ruzie, Ben. Ik heb haar bijna geslagen. Het scheelde maar zo'n stukje...' Ze hield haar duim en wijsvinger een centimeter van elkaar. Toen begon ze weer te jammeren. Papa zei: 'Sst', maar ze hield niet op. Ik stond een paar meter van hen vandaan.

'Papa,' zei ik. Maar hij gaf geen antwoord.

'Mama,' zei ik. Maar ze gaf geen antwoord.

Ik wachtte en probeerde het nog eens. 'Papa. Mama.'

Mama keek om en slikte. 'O, Ted,' zei ze. 'Ben jij daar? Kun je niet naar boven gaan om een boek te lezen of zo?'

'Maar mama, ik heb bedacht hoe...'

'Stil, Ted,' zei papa. 'Dit is niet het goede moment.'

Het klonk streng en kortaf, helemaal niet als papa's stem, en mama begon weer te huilen. Dus ging ik naar boven.

Op mijn kamer lag Kat met haar gezicht omlaag op het luchtbed. Ze hield een vuist tegen haar voorhoofd gedrukt, tussen haar wenkbrauwen. Ik zag dat mijn wekker op de grond lag, helemaal kapot. Dat was het geluid dat ik had gehoord nadat Kat naar boven was gegaan.

'Kat,' zei ik.

Ze schudde haar hoofd en kneep haar ogen stijf dicht. Er kwam een traan naar buiten, die langs haar neus omlaag droop. Ze veegde hem niet weg.

'Kat. Ik geloof dat ik het weet.'

Ze kreunde.

'De theorieën. De negen theorieën. Ik weet geloof ik welke juist is.'

'Ach, Ted! Jij met je theorieën.' Ze greep een kussen en begroef haar hoofd eronder.

Ik ging naar haar toe en tikte op haar schouder. 'De theorieën, Kat,' zei ik.

Ze keek op van onder het kussen. 'Ga weg,' zei ze.

'Kat,' zei ik. 'Zusje,' voegde ik eraan toe omdat ze vindt dat ik dan bijna normaal lijk. Maar deze keer werkte het niet.

'Ted, ik wil het niet weten. Donder op.'

'Kat...'

Ze pakte het kussen en sloeg ermee op mijn schouder. 'Dan lijk je tenminste niet op een stomme eend die vergeten is hoe hij moet kwaken,' zei ze. Daarna wierp ze zich weer op het luchtbed en snikte.

Ik sloop naar Kats kamer, waar tante Gloria nu was. 'Tante Gloria?' fluisterde ik.

Maar tante Gloria was in diepe slaap. Dat was niet verrassend, want mama had gezegd dat ze een slaappil had gekregen. Door slaappillen vlakken je hersengolven af tot een slaappatroon. (Ik zou er wel eens een willen proberen, niet omdat ik moeite heb met slapen, maar vooral om te kijken hoe mijn hersenen die anders werken, erop reageren.) Tante Gloria lag op haar rug diagonaal over het bed, met één voet over de rand en het dekbed helemaal scheef. Haar mond was half open en ze ademde luid en zwaar. Haar oogleden zagen er gekneusd uit, als een paarse veeg. Ik kon haar onmogelijk wakker krijgen, al had ik het gewild.

Ik wilde net weer de kamer uit sluipen toen ik Kats exemplaar van *De storm* op het dekbed zag liggen. Kat had er net als Salim op school aan gewerkt. Zou tante Gloria er ook in gelezen hebben? Salim had gezegd dat hij had meegespeeld in het toneelstuk en dat het helemaal in mijn straatje was. Daarmee bedoelde hij dat ik het fijn zou vinden, omdat het naar een hevig soort weer is genoemd en weer mij het meest interesseert. Ik pakte het boek, ging aan Kats bureau zitten en begon te lezen.

Eerst was er een lange lijst mensen. Daarmee beginnen toneelstukken altijd. De schrijver vertelt je wie wie is, en wat ze van elkaar zijn. Dat noemen ze de personages. Dit stuk had veel mannen en een paar geesten met vreemde namen en een vrouw die Miranda heette en die Kat een trut had genoemd. Toen las ik de eerste scène. Ik snapte er niet veel van, want de taal was bijna net zo moeilijk te begrijpen als Frans, en dat is op school mijn slechtste vak. Ik las het nog eens, en toen een derde keer, voordat ik tot de conclusie kwam dat het over een schip ging dat schipbreuk leed in een storm. Verder kwam ik niet, want achter me klonk een kreun waardoor ik opkeek.

'Salim?' Het klonk alsof tante Gloria in haar slaap praatte. 'Salim?'

Ik sloop naar het bed, met *De storm* in mijn hand. 'Nee, tante Gloria,' zei ik. 'Ik ben Ted.'

Ze keek me aan. Het wit van haar ogen was bloeddoorlopen. Dat gebeurt als je veel huilt of te lang naar iets staart.

'Ted?' zei ze. Ze zag het boek en glimlachte. 'Dat was ik aan het lezen om in slaap te komen. Salim heeft er laatst in meegespeeld.'

'Ik weet het, tante Gloria. Hij heeft het me verteld.'

Ze glimlachte. 'De mooie jonge prins Ferdinand. Mijn Salim.'

Ze draaide zich op haar zij en rolde zich huilend op. Ik bleef zwijgend staan en wist niet goed of ik mijn hand op haar schouder moest leggen of beter niets kon doen. Na een tijdje begreep ik dat ze weer sliep. Ik legde het toneelstuk naast haar en ging de kamer uit.

Op de overloop bleef ik staan en luisterde naar het huis. Het was stil. Ik vroeg me af waarom niemand me kon horen terwijl het zo rustig was. Toen begon ik de geluiden te horen die huizen altijd maken als de mensen stil zijn. Planken kraakten, leidingen ruisten in de muren en de centrale verwarming bromde. Ik pakte de bovenkant van de trapleuning vast. Nu hoorde ik iets anders: mijn hart bonsde, het bloed suisde in mijn oren en beneden in de gang tikte de klok. Het was de tijd. De tijd maakte ook geluid. Dat had ik nog nooit gehoord. Ik hield mijn handen over mijn oren. Het was oorverdovend.

Mama verscheen onder aan de trap. Ze kwam zonder iets te zeggen naar boven en knuffelde me. Ik probeerde me los te trekken.

'Ted,' zei ze. 'Het spijt me. Dat wil ik vooral ook tegen Kat zeggen.'

'Mama...' zei ik. 'Ik weet de verklaring.'

Ze streelde me over mijn haren alsof ik niets had gezegd. Daarna liep ze langs me en klopte op de deur van mijn kamer. Er kwam geen antwoord, maar ze draaide de deurknop om en ging naar binnen. Ze deed de deur achter zich dicht. Ik hoorde dat ze zacht en verdrietig begon te praten, en toen hoorde ik Kat. Maar ik kon niets verstaan.

Toen ik doorliep naar beneden, kwam Rashid met de reservesleutel de voordeur binnen. In de gang bleef hij staan en keek voor zich uit met een uitdrukking op zijn gezicht die ik niet herkende.

'Oom Rashid...' zei ik.

'Wat?' zei hij. 'O. Hallo, Ted.'

Papa kwam aanlopen uit de woonkamer en begroette hem

door te vragen of hij een blikje bier wilde. Ze gingen naar de keuken.

Alsof ik niet bestond.

Ik ging naar de voorkamer en pakte het visitekaartje van inspecteur Pearce van de schoorsteenmantel. Ik staarde ernaar. Ik ben niet zo goed in telefoongesprekken. Maar ik herinnerde me dat ze naar me had geglimlacht toen ik haar had verteld dat Salim was gebeld op zijn mobieltje, en ze had gezegd dat ze wou dat sommige van haar agenten zo slim waren als ik. Ze had naar me geluisterd.

Normaal gebruik ik de telefoon hooguit één keer in de week. Eigenlijk is er niemand die ik moet bellen, maar soms laat mama me Inlichtingen bellen omdat ze vindt dat ik moet oefenen. Dit werd al mijn tweede telefoongesprek van die dag, en dat was veel meer oefening dan ik wilde. Ik ging op de leuning van de bank zitten, boven op mijn fladderende hand. Toen pakte ik de telefoon met mijn andere hand en toetste het nummer in van inspecteur Pearce.

34

Rook

De tijd ging voorbij.

Kat en mama kwamen gearmd de trap af. Het was lang geleden dat ik dat had gezien. Uit hun lichaamstaal concludeerde ik dat ze het hadden goedgemaakt, en dat vond ik fijn want het betekende dat ik veel beter begon te worden in het lezen van lichaamstaal.

Toen kwam tante Gloria naar beneden. Ze had haar ochtendjas aan. Haar lippen waren vlak en haar ogen leeg. Ik begreep niet wat haar lichaamstaal betekende, en dat vond ik niet fijn.

Papa en Rashid gingen een Indiase afhaalmaaltijd halen voor iedereen. Ze kwamen terug met twaalf aluminium bakjes met dampend eten. Ik at twee samosa's, een kip biryani en het grootste deel van Kats kip korma, die ze niet op kon. Papa kwam een heel eind door een bakje garnalen bhuna. Maar de anderen lieten bergen voedsel op hun bord liggen. Tante Gloria knabbelde een halfuur aan een bhajee met ui. En mama duwde alsmaar dezelfde kikkererwt met haar vork haar bord rond. Rashid nam kleine slokjes van zijn bier en staarde naar zijn eten zonder één hap te nemen.

'Hoe ging je werk?' vroeg mama aan papa.

Hij haalde zijn schouders op. 'Het was rustig. Ik ben naar Peckham geweest. Voor een nieuwe klus.'

Toen zweeg iedereen.

Ik wilde vertellen wat ik wist en wat ik met inspecteur Pearce had besproken, maar ze had gezegd dat ik dat nog even niet mocht doen, omdat de anderen dan misschien te veel hoop zouden krijgen. Ze legde uit dat hoop normaal goed is, maar als je te veel hoopt en het dan niet gebeurt, ben je teleurgesteld en kom je met een klap terug op aarde. Ik vroeg of het net zoiets was als te hard landen als je te snel lucht laat ontsnappen uit een heteluchtballon. En ze zei ja, zoiets.

Daardoor begon ik aan een andere gedachtegang. Ik wilde graag een keer een vlucht maken met een heteluchtballon, maar alleen als het weer bestendig was. Ik zou instrumenten meenemen om de luchtdruk en de temperatuur te meten en alles opschrijven en...

'Hallo, dit is Houston voor planeet Pluto,' zei papa.

Ik keek hem aan. Dat zegt hij altijd om mijn aandacht te trekken als mijn gedachten ver weg zijn van mijn lichaam.

'Mag ik de rijst van je, Ted?' vroeg hij met een glimlach.

Ik gaf de rijst door. Het werd weer stil.

Het was alsof iedereen had besloten dat we het niet over Salim mochten hebben. Kat draaide de hele tijd een bruine krul rond haar vinger. Tante Gloria stak een sigaret aan, maar vergat te roken. Ik keek hoe de sigaret opbrandde, en volgde de rooksliert die opsteeg door de lucht. De rook boog af langs haar linkerschouder, hoewel er geen raam openstond en het niet tochtte in de kamer. Daardoor dacht ik weer aan het Coriolis-effect. Het is een onzichtbare kracht waardoor toch dingen van richting veranderen.

'Tante Gloria...' begon ik.

'Hou je mond, Ted,' zei mama.

'Nee, laat hem zeggen wat hij wil,' zei tante Gloria.

'Waarom steekt u sigaretten aan als u ze toch niet rookt?' vroeg ik.

'Ted!' zei mama. 'Laat tante Gloria met rust.'

Tante Gloria glimlachte zwakjes. 'Ik had niet eens gemerkt dat ik er een had aangestoken, Ted. Weet je wat? Als dit voorbij is... als Salim veilig terugkomt, stop ik met roken. Dat beloof ik.'

Ze leunde naar achteren en nam een trekje, terwijl de tranen over haar gezicht liepen. Ik wist niet zeker of ze huilde omdat ze dan moest ophouden met roken of omdat Salim misschien niet zou terugkomen. Het werd weer stil in de kamer. 'Als hij veilig terugkomt,' herhaalde ze. Daardoor begreep ik dat ze om Salim huilde, en niet om de sigaretten.

Ik at verder. Toen ik mijn mes en vork neerlegde, luisterde ik naar de stilte. Ik hoorde de klok weer tikken. Het bloed suisde in mijn oren. Het was alsof er treinwielen door mijn hoofd daverden, gedachten die hun eigen gang gingen, met lawaaiige koppelingen. De jongen op de koude tafel, de jongen in de trein. Mama zette een pot thee. Ik hoorde het lepeltje tikken toen papa suiker nam en roerde. Salim of niet Salim.

'Ik kan er niet meer tegen,' zei tante Gloria. Ze sprong op. 'Het wachten. Daar kan ik niet meer tegen.'

Mama stak een hand naar haar uit en pakte haar pols vast. 'Ik weet het, Glo. Ga weer zitten.'

'Nee, je weet het niet. Je kunt het niet weten. Kat en Ted zijn nog nooit verdwenen. Niet zo. Niet meer dan twee dagen. En we horen niets. Helemaal niets.'

'Kalmeer, Gloria,' zei Rashid.

'Hoe dan? Jullie zitten daar maar. Jullie kijken allemaal naar me. En ik weet wat jullie denken.'

'Glo...' zei mama.

'Hou jij je mond maar. Ik heb gehoord wat je door de telefoon tegen Ben zei. Je denkt dat Salim is weggelopen, hè? Je denkt dat hij zich ergens verstopt... dat hij zich verstopt voor mij. Zeg het maar gewoon.'

'Glo...' zei mama.

'Vooruit, zeg het.'

'Ja, als ik moet kiezen tussen Salim die is ontvoerd door een slecht mens, of Salim die zich ergens verstopt en niet weet hoeveel verdriet hij je doet... ja, dan denk ik liever dat...'

'Je zegt dat het mijn schuld is. Dat ik erom heb gevraagd.'

'Nee, Glo, dat niet. Maar misschien was verhuizen naar New York voor Salim wel wat te veel...'

'Niet waar, niet waar!' gilde tante Gloria. 'Ik ken mijn zoon. Hij zou me dit niet aandoen. Ik weet het zeker.'

Ze wendde zich af van de tafel. De mouw van haar ochtendjas raakte haar bord en er vloog een bhajee door de lucht. Haar schouders schokten. 'Ik ga hem zelf zoeken. Ik vind hem, al moet ik van de ene kant van Londen naar de andere lopen.' Ze wankelde de gang op.

Mama sprong overeind. 'Glo! Niet weggaan! Zo bedoelde ik het niet.'

Van waar ik zat kon ik zien dat tante Gloria de voordeur probeerde open te maken. 'Val dood, Fai!' schreeuwde ze.

'Hou haar tegen, Ben,' zei mama. 'Ze is niet goed bij haar hoofd.'

Papa stond met een verbijsterd gezicht op. Kat ging ook staan. Maar Rashid bleef met open mond zitten.

Net toen tante Gloria eindelijk de voordeur open had, kwam er buiten een sirene aan. Ik zag een zwaailicht. Er klonken stemmen in de voortuin. Iedereen kwam in beweging. Het was een grote verwarring. Er viel een stoel om en Rashid zat op zijn stoel te wiegen en te kreunen. 'Alstublieft, God,' zei hij. 'Alstublieft. Nee.'

Er kwam een naar gevoel omhoog in mijn slokdarm.

De politie was gekomen, zoals inspecteur Pearce tegen me had gezegd.

Maar de sirene had ik niet verwacht.

Hij klonk anders dan de sirenes die ik nadeed toen ik zieken-autootje speelde samen met Kat.

Hij klonk echt en dichtbij en hard en naar.

De jongen in de trein. De jongen op de koude tafel. Salim of niet Salim. Ik hield mijn handen tegen mijn oren. Het weer-overzicht van zeven uur: Fitzroy duizend acht verwacht ten wes-ten van Rockall...

35

Weer de jongen in de trein

Inspecteur Pearce kwam het huis binnen en leidde tante Gloria bij haar elleboog mee naar de keuken.

'Kan ze iets warms te drinken krijgen?' zei de inspecteur. 'Ze heeft een soort shock.' Kat schonk een kop thee in. Rashid stond op om tante Gloria zijn stoel te geven. Hij hielp haar om te gaan zitten en streelde haar haren. Haar handen beefden en haar lippen trilden alsof ze uit een sneeuwstorm kwam. Maar het was warm en vochtig buiten, ongeveer achttien graden.

'Is er nieuws?' vroeg mama.

Inspecteur Pearce wachtte met antwoorden tot tante Gloria een slokje thee had genomen.

Ik voelde dat Kat mijn hand vastpakte en hard kneep.

Inspecteur Pearce schudde haar hoofd. 'Er is wel iets te vertellen, maar het is niet goed en niet slecht. Het is meer een update. Dankzij Ted.'

Iedereen staarde me aan.

'Ted?' zei mama.

'Ted?' zei papa.

'Ted?' zei Kat.

Ik zei niets. Ik keek naar de vloer van de keuken.

'Ted heeft ontdekt wat er met Salim is gebeurd op de dag dat hij verdween,' ging inspecteur Pearce verder. 'Zijn conclusies sloten aan bij ons eigen onderzoek, maar ik moet zeggen dat hij ons vóór was.'

'Ted!' zei Kat weer. Ze liet haar mond wijd open hangen.

'We zijn verder gegaan met wat Ted ons heeft verteld, maar we weten nog steeds niet waar Salim is.'

Tante Gloria kreunde en leunde met haar hoofd in haar handen.

'Maar we weten nu wel wie de jongen in de trein was.'

'Salim?' vroeg mama.

Inspecteur Pearce spreidde haar handen. 'Nee, niet Salim,' zei ze. 'Maar dit is de jongen uit de trein.'

Er kwam een politieagente in uniform de kamer binnen. Ze had een jongen bij zich die ongeveer even oud was als Salim, maar het was niet Salim zelf. Hij verstopte zich half achter de lange agente. Hij had bolle wangen en donker haar en zag er Aziatisch uit, hoewel het moeilijk was om hem goed te zien omdat hij de capuchon van zijn sweatshirt over zijn hoofd en een deel van zijn gezicht had.

'Jij!' stootte tante Gloria uit.

'Dag, Marcus,' zei ik.

36

Conclusies trekken

Je wilt natuurlijk weten hoe ik het had ontdekt. Of misschien heb jij ook hersenen die anders werken dan die van de meeste mensen, en heb je het al zelf bedacht.

Ik had aan één stuk door nagedacht van twee minuten over twaalf op de dag dat Salim verdween, maandag, tot ik de politie belde om 18.04 uur op woensdag. Dat is vierenvijftig uur en twee minuten nadenken, als je de slaaptijd meetelt, en dat doe ik, want ik denk ook in mijn slaap.

Ik had de negen theorieën telkens opnieuw onderzocht. De theorieën 1, 2 en 8 hadden we uitgesloten. Salim kon niet in de cabine blijven voor een volgend rondje, mijn horloge liep niet verkeerd en hij kon zich niet onder iemands kleren verstoppen zonder dat we het zagen. Kat had me ervan overtuigd dat theorie 9, dat Salim niet was ingestapt, onjuist was. De theorieën 5 en 7 (zelfontbranding en ruimtetijdvervorming) had Kat zonder meer verworpen. Ik niet. Maar er was een andere reden waarom ik het ten slotte toch goed vond om ze te schrappen. Ik had het niet aan Kat verteld, maar ik had de mensen geteld die instapten in de cabine. Het waren er eenentwintig. En ik had ook geteld hoeveel er uitstapten. Eenentwintig. Als Salim in rook was opgegaan of in een andere ruimtetijd terecht was gekomen, zouden er maar twintig mensen zijn uitgestapt.

Dus bleven de theorieën 3, 4 en 6 over. Bij 3 en 4 moesten we

Salim op de een of andere manier toevallig niet gezien hebben toen hij uitstapte. Ik had tegen de politie gezegd dat er hooguit twee procent kans was dat we hem niet gezien hadden. Dat betekende dat er 98 procent kans was dat Salim in vermomming uit de cabine was gekomen.

Eerst vonden we deze theorie onwaarschijnlijk. Maar in die vierenvijftig uur en twee minuten dacht ik er telkens over na, en hij leek me toch wel mogelijk. Toen we de volgende dag met papa een rondje in het London Eye maakten, ontdekte ik een moment waarop je een vermomming kon aantrekken zonder dat iemand het merkte: als iedereen zich omdraait voor de foto. Bijna een hele minuut kijken alle mensen dezelfde kant op, tot de camera flitst.

Daarom had ik de foto van de mensen in Salims cabine, die Kat had gekocht, nog eens goed bekeken. Om de een of andere reden trok de roze mouw telkens mijn aandacht. We dachten dat die van het meisje met het pluizige roze jack was, dat achteraan stond en naar de camera zwaaide. Ik weet niet precies wanneer het tot me doordrong dat we ons vergisten. Misschien kwam het door de achttien foto's die Kat van onze waslijn had gemaakt toen ze Salims filmpje vol maakte. Al die mouwen van shirts en overhemden die wapperden in de wind. Of misschien kwam het doordat ik zag hoe Kat zich in haar jack met de bontkraag wrong, toen ze de foto's van de onbekende man wilde laten vergroten. De mouw op de foto uit de cabine was niet van iemand die zwaaide. Het was iemand die zich verkleedde.

Een roze mouw van iemand die zwaait of zich verkleedt. Het hangt ervan af hoe je ernaar kijkt.

Het meisje met het pluizige roze jack was Salims medeplichtige. Ze hadden in de cabine van identiteit gewisseld. Een pruik, een jack, een zonnebril. Meer was er niet nodig.

Ik herinnerde me dat tante Gloria Salim twee keer een grappenmaker had genoemd. Misschien was dit wel een heel grote grap van hem.

Een tijdje vroeg ik me af of Salim een vriendin had. Een vriendin over wie niemand iets had gezegd. Of een vriendin die tante Gloria niet kende. Een onbekende in de vergelijking. De Coriolis-kracht waardoor Salim uit zijn koers was geraakt.

Maar in de loop van de vierenvijftig uur en twee minuten nadenken bedacht ik dat er nog een andere mogelijkheid was.

Marcus. De 'Paki-Boy'. De 'mosher'. De jongen uit *De storm*.

Toen we over de voetgangersbrug naar het London Eye liepen, was Salim opgebeld door een vriend uit Manchester, had hij gezegd. Maar later hoorden we van de politie dat iedereen in Manchester aan wie ze het hadden gevraagd, had gezegd dat ze na zijn vertrek niets meer van Salim hadden gehoord. Ook Marcus. Dat klopte niet. Iemand loog.

Misschien Marcus.

De politie had ons verteld over de alibi's van Salims vrienden op de dag van zijn verdwijning. De moeder van Marcus had gezegd dat hij de hele dag naar de padvinderij was. Maar ik bedacht dat Marcus misschien net zo naar de padvinderij was als Kat en ik waren gaan zwemmen. Ik wist niet veel over Marcus. Alleen dat hij een vriend was van Salim. Ze waren allebei half-Aziatisch en zaten op een jongensschool. Ze waren moshers en hadden op school hoofdrollen gespeeld in *De storm*. Salim had Ferdinand gespeeld. Maar er moest ook iemand de enige vrouwenrol spelen – Miranda, die volgens Kat een trut was. Misschien had Marcus dat gedaan. En misschien waren ze daardoor op het idee gekomen.

Marcus. Heel goed mogelijk.

Toen het meisje van de motor stapte na haar schanssprong op

de motorshow, had iedereen gedacht dat ze een man was, tot ze haar helm afzette en haar lange haren liet zien. Misschien hadden Kat en ik de omgekeerde fout gemaakt: we hadden aangenomen dat de persoon met het pluizige roze jack een vrouw was, omdat ze lang haar had. Mannelijk of vrouwelijk – het hangt ervan af hoe je ernaar kijkt.

Marcus. Natuurlijk.

Bij de eenentwintig mensen die uit de cabine kwamen, was geen extra vrouw die tevoorschijn was gekomen van onder de vermomming met de pruik en de zonnebril. Maar er was wel een jongen bij. Een jongen van wie we dachten dat hij de vriend was van het meisje met het pluizige roze jack. De jongen met bolle wangen en donker haar.

Marcus. Geen twijfel mogelijk.

Ik herinnerde me dat Salim zijn snor had afgeschoren. Om het meisje met het pluizige roze jack te kunnen worden, moest hij natuurlijk gladgeschoren zijn. Net als Marcus. Alles wees op Marcus. En toen viel het laatste puzzelstukje op zijn plaats: wat de vrouw van het bewakingsbedrijf zei toen we Earl's Court verlieten. Pas bij de zevenentachtigste schop tegen ons tuinschuurtje zag ik hoe het in het patroon paste. Kat vroeg haar waar de onbekende man die Christy heette naartoe was. En ze antwoordde dat hij naar huis was gegaan omdat hij last van zijn maag had. Maar ze geloofde er niets van. Het is altijd hetzelfde liedje. Hij is ziek, hij moet naar de tandarts, of er is een oom dood. Het is een stortvloed van smoezen... Hij heet niet voor niets zo.

Inspecteur Pearce had de achternaam van Marcus maar één keer genoemd, maar dat was genoeg. Voor mij in elk geval, want ik word later meteoroloog. Ik vond het een interessante naam, Stort. Het deed me aan stortregens denken. De onbekende man had in Earl's Court tegen ons gelogen, en in Mile End weer. Allebei de keren wist hij meer dan hij zei. Marcus en hij waren vast familie. Ze heetten allebei Stort. Om de een of andere reden had hij Marcus en Salim geholpen om hun grap uit te halen. Misschien dacht hij dat het alleen een grap was. Maar het was meer. Het was een deel van een plan. Salims plan om weg te lopen.

Iedereen begreep nu wel dat Salim niet ontvoerd was. Hij was er zelf vandoor gegaan. Hij had niet naar New York gewild. Dat was ook te zien aan de gids van New York in zijn rugzak. Er zaten geen vouwen in de rug. Salim had hem nooit ingekeken. Hij vond het niet leuk om naar New York te gaan. Maar het London Eye vond hij wel leuk. En het leek hem spannend om daar te verdwijnen.

Als meteoroloog moet je waarnemingen en metingen doen, en theorieën bedenken. Als de theorieën juist zijn, kun je dan conclusies trekken en het weer voorspellen. Om te ontdekken wat er met Salim was gebeurd en waar hij waarschijnlijk was, moest ik net zoiets doen. Ik deed waarnemingen, bedacht theorieën en verzamelde met Kats hulp nog meer feiten. Als de feiten en theorieën in elkaar pasten, zouden we Salim kunnen opsporen, dacht ik. Net zoals je het pad van een storm volgt om te voorspellen waar hij naartoe gaat.

Maar er was iets verkeerd gegaan.

Salim was er niet aan het eind van het spoor.

Alleen Marcus was er.

Hij stond in de keuken naar de grond te staren, en toen iedereen tegelijk tegen hem praatte, begon hij te huilen. Hij hield zijn gezicht omlaag, maar ik kon hem horen en zag zijn schouders schokken.

Ik kreeg weer een heel naar gevoel in mijn slokdarm.

37

Super Salim

Tante Gloria stoof als een zware storm, windkracht tien, in haar ochtendjas op Marcus af. 'Wat weet je, Marcus? Waar is Salim?' Ze greep Marcus bij zijn arm. 'Zeg iets! Doe je mond open!'

Inspecteur Pearce leidde haar terug naar haar stoel. Mama bracht Marcus een glas limonade en bood hem ook een stoel aan, maar hij wilde niet gaan zitten en weigerde de limonade. Hij schudde zijn hoofd en zijn capuchon viel naar achteren. Toen veegde hij zijn gezicht af aan zijn mouw en keek op en staarde mij aan. Ik dacht eraan om mijn mondhoeken omhoog te houden. Meneer Shepherd zegt dat ik dat moet doen als ik iemand voor het eerst ontmoet. Het betekent dat je vrienden kunt worden. Maar Marcus bewoog zijn lippen niet. Dat betekende dat hij niet mijn vriend wilde zijn.

'Marcus is hier om te zeggen dat het hem spijt,' zei inspecteur Pearce. 'Tot nu toe durfde hij er niet mee voor de dag te komen. Hij dacht dat hij problemen zou krijgen. Nu heeft hij ons alles verteld wat hij weet. Ik heb hier de verklaring die hij heeft afgelegd. Het is precies zo gegaan als Ted heeft ontdekt. Met hulp van Kat, heb ik begrepen.' Ze knikte even naar Kat.

'Met mijn hulp?' zei Kat.

'Zonder jou zou ik het nooit allemaal hebben ontdekt, Kat,' zei ik.

'De moeder van Marcus wacht met een collega van me buiten

in een politieauto,' ging inspecteur Pearce verder. 'Ze wilde dat jullie ook zijn verhaal zouden horen. Als hij klaar is, mag hij naar huis.'

'Ik begrijp het niet...' zei Rashid, terwijl hij zijn knokkels tegen zijn hoofd drukte.

'Op de dag dat Salim verdween, zijn Marcus en Salim verscheidene uren samen geweest,' legde inspecteur Pearce uit. 'Ja toch, Marcus?'

Marcus knikte.

'Dat hadden ze afgesproken. Daarna is Marcus in zijn eentje teruggegaan naar Manchester. Salim ging niet mee. Maar dat was wel het plan, hè Marcus?'

Marcus knikte weer.

'Salim had besloten van huis weg te lopen,' zei inspecteur Pearce.

'Nee,' kreunde tante Gloria, en ze legde haar hoofd op haar handen.

'Maar uiteindelijk heeft hij het niet gedaan. Hij heeft zich bedacht.'

Tante Gloria keek op. 'Heeft hij zich bedacht?' zei ze zacht. Ze knikte. 'Natuurlijk, hij heeft zich bedacht.'

'Wil jij het uitleggen, Marcus?' vroeg inspecteur Pearce. 'Of heb je liever dat ik je verklaring voorlees?'

Er viel een stilte. Marcus zette zijn capuchon weer op, zodat zijn gezicht niet meer te zien was. Een bijna onhoorbare stem zei: 'De verklaring, mevrouw.' Dus las inspecteur Pearce Marcus' verklaring voor.

Getuigenverklaring van Marcus Stort

Mijn naam is Marcus Stort en dit is de waarheid. Salim is mijn beste vriend, want voordat hij in september bij me op school kwam, noemden ze me Paki-Boy en nu niet meer. Ik kom niet uit Pakistan. Mijn moeder komt uit Bangladesh en mijn vader is een Ier. Toch pakte Jason Smart elke dag mijn boterhammen af. 'Hoe smaakt de geit met kerrie vandaag, Paki-Boy?' vroeg hij dan, en hij gooide alles op de grond, al was het gewoon kaas met tomaat.

Maar toen kwam Salim bij me in de klas en ging naast me zitten. Ze noemden hem Paki-Boy Twee, maar hij trok zich er niets van aan. Zelfs niet toen Jason Smart zijn boterhammen pakte en op de grond smeet terwijl hij zei dat ze smeriger roken dan de kont van een jak.

Toen Jason Smart de volgende dag zijn eigen lunchtrommeltje openmaakte, zaten er duizenden krioelende maden in. De hele klas lag dubbel. Salim was niet meer Paki-Boy Twee, maar Super Salim de mosher. En omdat ik zijn vriend was, waren we allebei moshers. We lieten ons shirt half uit onze broek hangen en waren de top-moshers van de klas.

Als je een mosher bent, mag je niet te enthousiast werken. Je moet achter in de klas zitten en heel verveeld kijken. Maar bij drama was het anders. We waren enthousiaste moshers, omdat meneer Davison zo cool was. Hij koos ons voor de hoofdrollen in de schoolvoorstelling met Pasen. We zouden *De storm* doen. Meneer Davison speelde Prospero, Salim was Ferdinand en ik Miranda. Haha. Het meisje. Ik had toen nog niet de baard in de keel. Ik moest een lange donkere pruik en een witte jurk dragen, en telkens als ik zei dat ik 'werk'lijk waar een meisje' was, joelde en stampte de hele klas, en ik rolde met mijn ogen en iedereen riep 'O-la-la'. Meneer Davison zei dat ik een geboren komiek was.

Maar na Pasen kwam Salim met slecht nieuws terug naar school. Zijn moeder ging naar New York verhuizen en nam hem mee. Ik was er kapot van. Bij science dacht ik erover om chemicaliën te pikken en in te slikken, omdat ik er niet tegen kon om weer Paki-Boy te worden. Zonder Salim zou dat vast gebeuren. Salim wilde zelf ook niet weg. Hij vroeg zijn vader of hij bij hem kon komen wonen, maar zijn vader zei nee. Zijn moeder boekte de vlucht. Ze zouden vanuit Londen vliegen, zodat ze nog bij familie langs konden gaan die ze al jaren niet meer hadden gezien. Ze heetten Spark, en Salim zei dat ze konden doodvallen. Ik zei dat hij dan tenminste een keer naar het London Eye kon gaan. We hadden het er al vaak over gehad om dat samen te doen. Maar Salim zei dat hij er niets aan vond zonder mij. En toen kwamen we op het idee.

We zouden elkaar bij het Eye ontmoeten – ik in mijn Miranda-vermomming – en dan zouden we samen een rondje maken in het rad. Hij kon de vermomming van me overnemen en dan zouden we er samen vandoor gaan en zijn moeder en de familie Spark achterlaten. Later die dag zouden we de trein naar Manchester nemen. Daar zou hij zich ergens verstoppen, en ik zou hem eten brengen. Nadat zijn moeder zonder hem naar New York was gevlogen, zou hij bij zijn vader gaan wonen. Die moest het wel goedvinden. En zo konden hij en ik de top-moshers van onze klas blijven.

Eerst belde ik Christy, mijn oudere broer. Christy woont in Londen en belt telkens om geld te vragen. Maar mijn vader zegt dat het geld hem niet op de rug groeit en vertikt het. Deze keer belde ik hem. Ik zei dat hij tien pond van me zou krijgen als hij naar het London Eye zou komen om mij en mijn vriend Salim te helpen met een grap die we hadden bedacht. En hij zei ja.

Salim ging op zondag met zijn moeder naar Londen. De volgende dag zei ik tegen mijn moeder dat ik de hele dag naar de padvinderij ging, en zij geloofde me en gaf me wat geld. Salim had me zijn spaargeld gegeven, dus ik had meer dan genoeg om twee kaartjes voor het London Eye te kopen. Ik nam een vroege trein naar Londen en het kostte me geen cent, omdat ik een truc ken om de controleurs te ontlopen. Ik stapte uit op Euston Station, liep naar de rivier en daar was het Eye. Het kon niet missen.

Christy was er het eerst. Ik zette de pruik op die ik als Miranda had gedragen, en een grote zonnebril die ik vorige zomer aan de Costa del Sol heb gekocht. Bovendien trok ik een jack aan dat ik van mijn oudere zus Shannon had gepikt. Christy brulde van het lachen en zei dat ik een gestoorde travestiet was en dat pa me levend zou villen als hij me zo zag. We kochten twee kaartjes. Ik vertelde hem niet dat Salim van plan was weg te lopen en dat ik hem zou verbergen. Ik zei dat we een grap wilden uithalen met Salims neef en nicht. Ik had nu de baard in de keel gekregen en kon echt niet zelf naar ze toegaan. Als ik iets zei, zouden ze meteen gemerkt hebben dat ik geen meisje was. Daarom hadden we Christy nodig. Bovendien kon alleen een volwassene kaartjes kopen zonder dat er vragen werden gesteld.

Toen we de kaartjes hadden, belde ik Salim om te weten waar hij was. 'Schiet op,' zei ik. 'We vertrekken om half twaalf.' Hij zei dat hij net de rivier overstak, en een paar minuten later was hij er. De moeders gingen koffie drinken, zoals we hadden verwacht, en Salim ging met zijn neef en nicht in de rij staan voor kaartjes. Christy liep naar ze toe en deed of hij een onbekende was, hoewel hij Salim een keer had ontmoet. Hij gaf Salim het kaartje, wees hem de plaats in de rij aan en ging er snel vandoor naar zijn werk, want hij was al laat.

Ik barstte bijna in lachen uit toen ik moest doen of ik Salim niet kende. Op weg naar de ingang moest ik de hele tijd op mijn wang bijten. Salim keek me niet aan, tot we in de cabine waren. Maar toen de deuren dicht waren en we omhooggingen, gierden we het uit. Het was geweldig daarboven. Licht en lucht en kilometers stad, allemaal voor onszelf. We waren gelukkig.

Toen we bijna boven waren, werd Salim stil. Hij keek in de richting van de zon.

'Salim,' zei ik, 'waar kijk je naar?'

'Manhattan,' zei hij.

'Het is Londen,' zei ik. 'Niet Manhattan.'

'Het is mijn lot, Marcus. Dat moet ik onder ogen zien.'

Ik vond het naar. Het klonk alsof hij van gedachten was veranderd en niet meer van identiteit wilde wisselen om te verdwijnen en met mij mee terug te gaan naar Manchester. Maar toen iedereen zich omdraaide voor de foto, lachte hij en pakte de pruik van mijn hoofd en zette hem zelf op. Ik trok het jack uit en hij deed het snel aan. Ik schoof zijn pruik recht en duwde de zonnebril op zijn neus. Het was in een paar seconden gebeurd. Niemand zag het. Ze keken allemaal de andere kant op voor de foto.

Even later was de cabine beneden. We liepen naar buiten, vlak voor de neus van Salims neef en nicht. Je had hun verbijsterde gezichten moeten zien toen ze hem nergens konden ontdekken. Salim ging heel meisjesachtig lopen. We kwamen vlak langs zijn moeder, die koffie zat te drinken, en ze keek precies in zijn richting, maar ze herkende hem niet.

Ik sleurde hem snel mee voordat ze mij zag, en we verdwenen in de menigte. Hij haalde zijn mobieltje tevoorschijn en zette het uit. 'We gaan er een leuke dag van maken, Marcus!' riep hij. Hij sloeg me op mijn schouders en zette de pruik af. Hij had zijn camera per ongeluk bij zijn neef gelaten, maar we hadden nog wel wat geld samen. Dus kocht hij ergens een wegwerpcamera en maakte een foto van me op de brug. Daarna kocht hij hotdogs, Marsen en cola. We picknickten in een park aan de rivier en ik snaterde als een eend en Salim zei dat ik een geboren komiek was. Toen gingen we naar een plein waar allemaal straatartiesten optraden. Ze waren heel leuk – een jongleur op stelten met een scheur in zijn broek, een goochelaar met een zilveren bol die over zijn lichaam rolde, en een clown die tien salto's maakte en op zijn neus landde. Na de voorstelling gaf Salim zijn laatste pond aan de clown. We liepen door Tottenham Court Road en vonden een winkel waar ze elektrische piano's verkochten. Je kon tegelijk een orgel, strijkinstrumenten, trompetten en drumbeats spelen. Het was geweldig, de mooiste dag van mijn leven. Ik wilde dat er geen eind aan kwam. Maar dat kon natuurlijk niet.

We kwamen bij Euston Station. En daar zei Salim dat hij toch niet met me meeging.

'Ik kan het niet, Marcus,' zei hij.

'Ja hoor. Het is makkelijk. Je verstopt je gewoon in de plee.'

'Dat bedoel ik niet. Ik kan niet weglopen van mijn moeder. Ze doet soms raar, maar ze is de enige moeder die ik heb. En het gaat niet alleen om haar. Ook om mijn neef en nicht.'

'Die? Je zei toch dat ze konden doodvallen?'

'Dat was voordat ik ze had ontmoet. Ze zijn heel aardig, Kat en Ted. Als ik niet terugga, krijgen ze op hun kop omdat ze me alleen in het rad hebben laten gaan. En mijn moeder raakt natuurlijk helemaal in paniek.'

Ik wist niet wat ik moest zeggen. Mensen haastten zich langs ons om hun trein te halen. Er klonken mededelingen uit een luidspreker. Er werd iets gezegd over Manchester – dat was mijn trein.

'Je bent een nep-mosher,' zei ik.

'Ja. Jij bent de echte mosher, Marcus. Ik kan niet aan je tippen.'

Hij glimlachte. 'Jij hebt de maden erin gedaan, hè?'

'Hoe weet je dat?'

'Toen ik laatst bij je thuis was, vertelde je vader me dat hij graag vist.'

Hij gaf me het pluizige roze jack van Shannon terug en ik stopte het bij de pruik in mijn rugzak. Maar de zonnebril mocht hij van me houden. Die stond hem goed. Er klonk een fluit. Het was mijn trein. We namen afscheid en hij omhelsde me.

'Rennen, Marcus. Ik zal je een kaartje sturen van het Empire State Building.'

Ik begon te rennen. Deuren werden dichtgeslagen en ik hoorde dat hij me nariep: 'Laat je niet meer Paki-Boy noemen. Je bent mosher Marcus. Een geboren komiek.'

Een bewaker zag me en schreeuwde. Maar ik sprong al in de trein. Ik haalde het maar net voordat de deuren op slot gingen. Toen de trein wegreed, zag ik Salim zwaaien. Het was de laatste keer dat ik hem zag.

Ik verstopte me in het toilet, tot we Stoke-on-Trent voorbij waren. In Manchester stapte ik uit zonder betrapt te worden en ik ging naar huis. 'Hoe was de padvinderij?' vroeg ma.

'Geweldig,' zei ik.

Later die avond, toen ik Shannons roze jack stiekem terughing in haar kast, vond ik in een van de zakken Salims mobieltje. Hij was het vergeten, net als zijn camera. Ik kan het hem opsturen als hij in New York is, dacht ik, en ik legde het in de la van mijn bureau.

De volgende dag kwam de politie. Ze zeiden dat Salim werd vermist. Ma was erbij. Ze zou woedend zijn geworden als ik had toegegeven dat ik de hele vorige dag met Salim in Londen was geweest. Daarom hield ik vol dat ik naar de padvinderij was gegaan. Maar toen de politie weg was, begon ik te piekeren. Waar was Salim? Waarom was hij niet teruggegaan naar het huis van zijn familie, zoals hij had gezegd?

Ik lag de hele nacht te woelen. En vandaag hield ik het niet meer. Ik pakte zijn mobieltje om zijn moeder te bellen en haar te vertellen wat ik wist. Ik zette het aan en er waren een stuk of twintig voicemailberichten, allemaal van haar. Ze klonk vreselijk. Ik belde op, maar het duurde heel lang voor er werd opgenomen. Toen ik eindelijk de stem van zijn moeder hoorde, durfde ik niets te zeggen. Ik verbrak de verbinding en zette het mobieltje weer uit. Ik verstopte het onder mijn matras.

Later belde Christy me op mijn eigen mobieltje. Hij zei dat Salims neef en nicht hem hadden lastiggevallen op een motorshow waar hij werkte. Hij had niets verraden, maar als ik wist waar Salim was, kon ik beter meteen naar de politie gaan en hem erbuiten laten. Hij schreeuwde woedend tegen me.

Ik wist niet wat ik moest doen. Ik kon niet naar de politie gaan. Dan zou ik problemen krijgen. Maar vanavond kwam de politie zelf. En ze wisten alles. Salims neef Ted was erachter gekomen, zeiden ze. Ze wisten alles over de pruik, het Eye en de trein terug naar Manchester. Het was alsof Ted Spark in mijn hoofd had gekeken en mijn gedachten had gelezen. Ik herinnerde me dat Salim me had verteld dat zijn neef een of ander raar syndroom had waardoor hij dacht als een reusachtige computer.

Dit is de waarheid en niets dan de waarheid. Ik heb Salim het laatst gezien op Euston Station. Meer weet ik niet.

Marcus Stort

38

Wat Salim deed

Toen inspecteur Pearce klaar was met het voorlezen van de verklaring van Marcus, was het 10.03 uur 's avonds.

Tante Gloria keek Marcus aan met een gezichtsuitdrukking die niet meer meetbaar was op de schaal van Richter. Haar onderlip hing omlaag en ze nam niet de moeite de tranen weg te vegen die over haar gezicht stroomden. Rashid zat bewegingloos op zijn stoel en hield zijn hoofd in zijn handen. Inspecteur Pearce leunde met gebalde vuisten naar voren.

'Marcus,' zei ze. 'Denk goed na. Neem er de tijd voor. Heeft Salim iets gezegd waaruit we kunnen opmaken waar hij daarna naartoe ging?'

Marcus' capuchon ging ontkennend heen en weer. 'Nee, niets. Ik heb u alles verteld wat ik me herinner. Hij zei dat hij rechtstreeks hierheen zou gaan. Eerlijk.'

'Heeft hij gezegd hoe?'

'Nee. Hij had een metrokaartje. Dat had hij me laten zien.' Hij trok de capuchon verder over zijn gezicht. De politieagente die voor hem zorgde sloeg een arm om hem heen.

'Ik wil naar huis,' zei hij met gesmoorde stem.

Inspecteur Pearce knikte. 'Breng hem maar naar huis,' zei ze. 'Maar bel me meteen als hij zich nog iets herinnert.'

De agente leidde Marcus naar de deur, maar net toen ze de gang op wilden lopen, stond tante Gloria op.

'Marcus,' zei ze. Het werd stil in de kamer. Marcus bleef staan, maar draaide zich niet om.

'Ik wil iets tegen je zeggen, als moeder van Salim. Het is niet jouw schuld, Marcus. Je kon er niets aan doen.'

Ze ging weer zitten en snikte.

Marcus schuifelde naar haar toe. 'Dit was ik nog vergeten,' zei hij. 'Hier.' Hij stak zijn hand uit en gaf haar Salims mobieltje. Ze nam het met trillende vingers aan en hield het tegen haar wang.

'O, Salim,' fluisterde ze. 'Waar ben je?'

Marcus en de politieagente vertrokken.

Inspecteur Pearce raakte tante Gloria's schouder aan en zei dat ze terugging naar het hoofdbureau om een zoekactie door heel Londen te organiseren. Het personeel van de metro en de buschauffeurs die langs Euston kwamen, zouden allemaal ondervraagd worden. Ze zou alles doen wat ze kon. Daarna vertrok ze ook, en tante Gloria begon weer te huilen.

Mama stuurde Kat en mij naar bed.

We probeerden niet eens te slapen. Kat ging op het luchtbed zitten en ik op mijn bed. Ik liet het lampje branden. Mijn hoofd bonkte.

'Ted?' zei Kat.

'Wat is er?'

'Je dacht dat je hem had gevonden. Maar dat was niet zo. Hij is weer weg.'

'Ja, Kat. Weg.'

'Het bevalt me niet, Ted.' Ze huiverde. 'Inspecteur Pearce maakt zich ook zorgen.'

'Ja.'

'Ze dacht de hele tijd dat Salim was weggelopen. Maar dat denkt ze nu niet meer.'

'Nee.'

'Er zijn maar twee mogelijkheden, Ted.'

'Welke dan?'

'Hij is weggelopen of hij is ontvoerd.'

'Ontvoerd?'

'Ja.'

'Waarom zou iemand hem ontvoeren? Tante Gloria is toch niet rijk?'

'O, Ted. Je bent nog zo jong. Kinderen worden niet alleen voor geld ontvoerd.'

'Waarvoor dan nog meer?'

'Kijk me niet aan als een eend die is vergeten hoe hij moet kwaken!'

Ik hield mijn hoofd recht en knipperde met mijn ogen. 'Waarvoor dan nog meer, Kat?'

'Seks.'

Mijn hand fladderde.

Kat ging liggen en rolde zich op. Maar ze ging niet slapen. Ik hoorde geen gelebber als van een hond die drinkt. Na een hele tijd zette ik zacht de radio aan. Het was het weerbericht voor de scheepvaart, om middernacht. 'Het weeroverzicht van de meteorologische dienst... Fitzroy, overwegend noordelijk, vijf tot zes, veranderlijk, onweersbuien... Forth Tyne Dogger, zes tot zeven...' Er kwam regen uit het zuiden. De wind stak op. Ik hoorde boomtakken tegen het dak van ons schuurtje tikken. Ik dacht aan de was die aan de lijn hing en weer kletsnat werd. Vlagen harde regendruppels kletterden tegen de ruit. Ik pakte mijn weerboek en zocht het stuk over het Coriolis-effect op. Ik hoorde Salim op Euston Station tegen Marcus zeggen: 'Ze zijn heel aardig, Kat en Ted.'

Ik dacht aan de jongen op de koude tafel. En ik dacht aan

Salim, die ergens in de grote stille leegte was of ergens daar buiten lag terwijl het steeds slechter weer werd. Twee mogelijkheden. Weggelopen of ontvoerd.

'Zet hem uit, Ted. De radio. Ik word er gek van.'

Het was Kat. Ik zette de radio uit.

'Ik kan niet slapen,' kreunde ze.

'Kat, weet je nog van die theorieën? De negen theorieën?'

'Hou daar nou over op.'

'Maar een ervan was juist, hè?'

'Ja. Nummer zes. Knap hoor.'

'Weet je nog dat ik er eerst maar acht had bedacht, en later nog één?'

'Nou en?'

'Misschien is het niet waar wat je daarnet zei.'

'Wat bedoel je?'

'Je zei dat er maar twee theorieën zijn. Hij is weggelopen of ontvoerd. Maar misschien is er een derde theorie. Net als toen die negende. Een mogelijkheid waaraan we nog niet hebben gedacht.'

Kat luisterde nu. Ze stond op en deed de grote lamp aan. 'Dat klinkt beter,' zei ze. 'Een derde theorie. Die moet er zijn.'

Ze liep heen en weer naast het luchtbed en stompte met een gebalde vuist in de palm van haar andere hand, net als een steen die een papier raakt bij het steen-schaar-papier spelletje dat je speelt als je klein bent. Het was het enige spelletje dat ik goed kon spelen, en ik deed het graag. Ik maakte een schaar van mijn hand. Dat was de derde theorie, waarnaar we zochten.

Ik dacht hardop. 'Misschien is Salim weer met opzet verdwenen. Misschien liegt Marcus.'

Kat stond stil en keek me aan. 'Marcus vertelde de waarheid.'

'Hoe weet je dat?'

'Ik weet het gewoon. Het heeft met lichaamstaal te maken, Ted. Net zoals ik wist dat de negende theorie fout was. Dit is net zoiets. Wat Marcus zei is waar. Salim was niet van plan te verdwijnen. Hij wilde teruggaan naar ons huis. Hij was van gedachten veranderd over weglopen.'

'Dus is hij tegen zijn zin verdwenen.'

'Ja.' Ze ging op het bed zitten. 'Er zijn maar twee mogelijkheden, Ted. Er zijn echt maar twee theorieën. Hij is verdwenen omdat hij dat wou – of omdat iemand anders dat wou.'

'Iemand anders,' herhaalde ik.

'Ja, iemand daar buiten houdt hem vast.'

'Vast.' Ik stapte uit mijn bed en deed het raam open. 'Iemand daar buiten,' herhaalde ik. De noordoosten wind woei naar binnen. De papieren op mijn bureau vlogen de kamer door. Er kwam een blad binnen door het raam. Ik dacht aan het Corioliseffect. Ik kon de buitenwereld ruiken. Ik rook Londen.

'Iemand daar buiten,' fluisterde Kat, die naast me kwam staan bij het raam. Ze sloeg haar arm om mijn schouders.

'Of iets,' zei ik.

De storm blies nog een paar seconden de kamer in. Toen deed Kat het raam dicht. 'Hoe bedoel je – iets?'

'Ik weet het niet,' zei ik. 'Misschien is er iets wat Salim uit zijn koers heeft gebracht. Net als het Coriolis-effect. Dat verandert voortdurend de koers van de wind. En het is geen mens. Maar een ding. Een ding dat je niet eens kunt zien.'

'Bedoel je dat hij een ongeluk heeft gehad?'

'Ik weet het niet. Misschien.'

'Oké. Hij heeft een of ander ongeluk gehad zodat hij niet hierheen kon komen. Maar dan zou zijn lichaam zijn gevonden. Of hij zou ergens in een ziekenhuis liggen. Dan zou de politie hem al gevonden hebben. Tenzij...' Kat greep naar haar hals. Haar ogen werden groot.

'Tenzij wat?' vroeg ik.

'Tenzij hij in de rivier is gevallen. Tenzij hij is verdronken.'

Ik dacht aan de aalscholvers die in het water doken. Mijn hand fladderde.

'Je valt niet zomaar in de rivier, Kat. Er zijn muren langs het water. Het kan alleen als je er zelf in springt.'

Kat snakte naar adem. Haar ogen werden nog groter. 'Misschien heeft Salim dat gedaan. Is hij erin gesprongen.'

'Nee,' zei ik.

Kat staarde voor zich uit. Ik legde mijn fladderende hand op haar zachte, tengere schouder.

'Nee,' zei ik.

Ze ademde uit. 'Nee. Je hebt gelijk. Dat zou Salim niet doen. Het is niets voor hem.' Ze schudde haar hoofd. 'Oké. Een soort Coriolis-ding. Maar wat?'

'Ik weet het niet,' zei ik. Ik legde mijn handen op mijn hoofd en schudde ermee. 'Ik probeer te denken. Maar mijn hersenen zijn moe.'

'Laten we Salim spelen. We zijn op Euston Station. In ons hoofd. Wat doet hij daar? Denk na. Hij kent Londen niet goed. Hij heeft een metrokaartje. Ja toch?'

'Ja, Kat.'

'Hij neemt afscheid van Marcus. Zie je het voor je?'

'Ja.'

'En dan?'

'Hij kijkt op zijn horloge. Het is vier uur,' zei ik.

'Hij weet dat tante Gloria in wilde paniek is. Dus wil hij zijn mobieltje pakken.'

'Dan merkt hij dat hij het niet bij zich heeft. Het zit in de zak van het pluizige roze jack.'

'Dus gaat hij naar een telefooncel.' Kat fronste haar wenkbrauwen.

'Fout. Hij heeft geen geld, Kat. Hij heeft alles uitgegeven. Aan de wegwerpcamera, Marsen, cola en de clown.'

'O ja, dat is waar. Hij heeft alleen nog een kaartje voor het openbaar vervoer. Hij besluit gewoon naar huis te gaan.'

'Hij gaat naar het metrostation.'

'Hoe weet je dat, Ted?'

'Dat is het snelst. En het makkelijkst als je Londen niet kent.'

'Oké. Hij bekijkt de kaart van de metro. 's Ochtends heeft hij al in de noordlijn gereden. Hij is niet dom. En het is makkelijk. Van Euston naar onze halte hoef je niet over te stappen. Niets aan. Hij loopt naar het perron. Hij stapt in.'

'Euston. Tottenham Court Road. Leicester Square. Embankment. Waterloo,' zei ik.

'En dan onze halte, Ted.'

'Hij stapt uit.'

'Hij neemt de lift.'

'Hij is weer boven, Kat.'

'Hij laat zijn kaartje zien of haalt het door de machine. En dan is hij terug bij ons! We wonen vlak om de hoek.' Kat ademde boos en verhit uit. 'Het heeft geen zin, Ted.'

'Misschien gaat hij in de hoofdstraat per ongeluk de verkeerde kant op. Dat doe ik ook wel eens.'

Kat keek me aan. 'Ik denk het niet. Dat is niets voor Salim. 's Ochtends heeft hij dat stuk al samen met ons gelopen. Het is doodeenvoudig – gewoon tweehonderd meter hoofdstraat, langs de Barak en dan linksaf naar Rivington Street. Halverwege staat ons huis.'

Ik knikte. 'Ons huis staat halverwege.'

Kat liet zich op haar luchtbed vallen. 'Het is zinloos, Ted.'

'Zinloos,' zei ik.

Mijn hand fladderde. Mijn hoofd draaide opzij. 'Wat zei je, Kat?' vroeg ik. 'Zeg dat nog eens.'

'Zinloos.'

'Nee. Wat je daarvoor zei. Over het stuk vanaf de metro.'

'Tweehonderd meter hoofdstraat, langs de Barak en dan...' Ze zweeg en staarde me aan.

'In de cabine, Kat. Toen ze boven waren. Marcus zei dat Salim in de richting van de zon keek. Hij keek naar het zuiden.'

'Hij zei dat hij naar Manhattan keek,' mompelde Kat.

'Hij keek niet naar Manhattan, Kat. En ook niet naar de zon. Hij keek naar iets wat hem aan Manhattan deed denken. Een groot flatgebouw. Hij keek naar de Barak.'

'Dat is het,' zei Kat. 'Het Coriolis-ding, dat hem uit zijn koers heeft gebracht.' Toen schudde ze haar hoofd. 'Nee. Hij wilde snel naar huis, Ted. Dan gaat hij toch niet rondkijken in de Barak?'

'Hij houdt van hoge gebouwen, Kat,' zei ik.

Kat knikte. 'Hij had zijn wegwerpcamera nog. Misschien wilde hij foto's maken.'

Ik knikte. 'Het was een mooie dag, Kat. Met goed uitzicht uit de Barak.'

'Uitzicht waarvan hij wist dat het binnenkort niet meer bestaat... En hij was misschien bang dat tante Glo razend zou worden als hij thuiskwam. Dan was een beetje uitstel heel verleidelijk. Dus gaat hij de Barak binnen om even rond te kijken. En wat gebeurt er dan?'

'Papa sluit het hele gebouw af!' zei ik opgewonden. 'Dat vertelde hij toen hij 's avonds thuiskwam. Hij heeft het op slot gedaan en is er niet meer terug geweest. Hij gaat nu naar Peckham voor een nieuwe klus. Hij heeft de Barak afgesloten, Kat.

Met Salim erin. Sindsdien is niemand meer in het gebouw geweest. Salim zit daar opgesloten, Kat. En morgen beginnen de betonvergruizers.'

39

Regen in de nacht

'Mama mia!' gilde Kat. Ze rende de kamer uit. 'Papa! Mama! Kom gauw!'

Als ik mensen probeer te vertellen over iets wat ik heb ontdekt, luisteren ze niet. Als Kat het doet, luistert iedereen. Binnen vijf minuten waren we allemaal half aangekleed en de deur uit, de stromende regen in. Papa had twee zaklantaarns bij zich, en de grote sleutelbos van zijn werk. We renden de straat door – Rashid, tante Gloria, mama, papa, Kat en ik. Onze jassen wapperden, onze paraplu's klapten de verkeerde kant op, onze harten bonsden, onze hoop steeg, en mijn hand fladderde. Papa's hand trilde toen hij het hangslot openmaakte. De wind gierde luid rond de grote, donkere woontoren boven ons. Mama hield een zaklantaarn vast. We staken een modderige strook gras over en liepen snel langs de achterkant van het gebouw naar de ingang. De volgende sleutel. Weer met bevende hand. 'Schiet op! Schiet op!' gilde tante Gloria. Ze graaide bijna de sleutels uit papa's hand.

We waren binnen, met de deur achter ons dicht. Papa scheen met de zaklantaarn de hal rond. Het stonk er naar vieze wc's en dode beesten. Weer een sleutel voor een kamer, achteraan in de duisternis. Het leek wel een machinekamer. Buizen, ketels, kabels, stoppenkasten. Zo stil als een lijkenhuis. De zaklantaarn vond wat papa zocht. Een kast. Met een vierde sleutel maakte hij hem open. Er was een schakelaar. Papa haalde hem over. Daarna drukte hij op een rij schakelaars bij de deur.

Licht. De hal van de woontoren kwam tot leven. Nog een deur naar het trappenhuis, weer een sleutel, nog meer lampen.

'Salim! Salim!' schreeuwden we.

Hoger en hoger. De ene verdieping na de andere. Kat en ik waren het snelst. Ik wist waar Salim zou zijn. Helemaal boven op de vierentwintigste woonlaag. Na vijftien verdiepingen snakte ik naar adem. Kat was me een halve trap voor. 'Salim, huh-huh, Salim,' hoorde ik haar hijgen.

Onze longen konden niet meer toen we eindelijk boven waren. Kat had een steek in haar zij.

'Salim,' zei ze. Het was niet meer dan zacht gefluister.

Op elke verdieping waren vier deuren.

De eerste drie die we probeerden zaten op slot. De vierde stond op een kier. In het donker voelde ik iets langs mijn voet scharrelen.

'Salim...' bracht Kat moeizaam uit. Ze greep mijn hand vast. Haar hand was koud en klam, maar zo fladderde mijn hand tenminste niet.

'Niet naar binnen gaan, Ted.· Het bevalt me niet. Het ruikt daar akelig. Laten we wachten tot papa er is.'

We wachtten hand in hand op de vierentwintigste verdieping, bij de open deur met duisternis erachter. Zo lang had ik nog nooit in mijn leven gewacht. De theorieën, de foto's, de woorden op het T-shirt, en de cabines van het Eye – het waren allemaal alleen nog zwevende flarden in mijn hoofd. Er waren geen theorieën meer. Dit was de laatste. Onze enige hoop.

Mijn hart bonkte. Mijn oren bonsden. Het was het geluid van de tijd.

Papa kwam hijgend boven met de zaklantaarn. Hij wankelde

de donkere gang in. Kat en ik slopen achter hem aan.

'Salim?' zei hij. Hij duwde de volgende deur open. Het licht van de zaklantaarn gleed bevend langs smerige muren.

'Salim?'

Daar was hij. Hij was net wakker en trilde over zijn hele lijf. Hij lag in foetushouding in een lege kamer, op een oude matras die de laatste bewoners van de Barak in de flat hadden achtergelaten. Hij leefde nog. Tante Gloria rende de kamer in en stortte zich op hem.

'Salim!' snikte ze. 'O, Salim. Lieverd. Lieverd van me.'

40

Na de storm

Stemmen, tranen, verzoening. Ik herinner het me als golven
woorden die heen en weer spoelden over mijn hoofd, rond,
langs en door me. Ik liep naar het raam en kneep mijn neus
dicht tegen de stank van het gebouw dat volgens papa ziek was.
Ik was het met hem eens. Duiven koerden. Ze waren binnengekomen door een gebroken ruit. Koude lucht streek langs mijn
wang.

Iemand pakte me bij mijn schouder. Het was papa. Terwijl
mama en tante Gloria Salim overeind hielpen en hem in hun
jassen wikkelden, keken wij naar buiten. De storm zwakte af en
er kwam nieuwe lucht aan die koel en kalm was. De maan verscheen van achter een wolkenbank.

Toen zag ik het. Londen vanaf de vierentwintigste verdieping,
verlicht als rijp op glas. De koepel van St Paul's Cathedral was
een lichtgevende boog recht voor me. Links was het witte Eye.
Onbeweeglijk. Een reusachtig fietswiel in de lucht, dat niet
draaide.

We gingen naar huis.

Met een schorre, trillende stem vertelde Salim ons wat er was
gebeurd. Hij had bijna drie dagen honger geleden. Water had
hij alleen gevonden in de stortbak van een wc. Dat had hij
gedronken.

Hij had uit het raam geschreeuwd, op de vierentwintigste verdieping. Maar niemand hoorde het. Niemand keek omhoog.

Hij had geprobeerd naar andere flats te gaan. Maar die zaten allemaal op slot.

Hij had geprobeerd uit het trappenhuis te komen. Maar de deur beneden was vergrendeld.

Op duizend en een manieren had hij geprobeerd uit het gebouw te komen. Maar het lukte niet.

Hij zat opgesloten. Het enige wat hij kon doen, was wachten en hopen. Hij ging op een plek zitten waar hij licht en uitzicht had, in de lege flat op de vierentwintigste verdieping. Hij sliep op de achtergelaten matras, ook al rook die nogal muf. Hij had een halve Mars, een wegwerpcamera, de kleren die hij aan had, en verder niets.

Onze huisarts kwam langs om hem na te kijken. Hij zei dat Salim wel even een knauw had gehad, maar verder sterk en gezond was. Hij vond het dapper van Salim zoals hij alles had doorstaan, en schreef hem een kom soep en een goede nacht-rust voor. Papa belde de politie en vertelde hoe we Salim hadden gevonden.

De volgende dag praatten tante Gloria, Rashid en Salim in de woonkamer de hele ochtend rustig met elkaar. Ik weet niet wat ze zeiden, maar na afloop vertelde tante Gloria dat Salim het zes maanden in New York ging proberen. Dat wilde hij zelf, zei ze. Hij deed het niet alleen voor haar.

Rashid vertrok. Hij bedankte ons voor wat we hadden gedaan. Hij zei dat hij het nooit zou vergeten. Als Salim in de vakanties bij hem kwam, zouden ze vaak langskomen, beloofde hij. Toen hij de voordeur uitliep naar onze voortuin zo groot als een post-zegel, draaide hij zich om en keek naar tante Gloria, die naast me stond. Ze kneep me in mijn schouder.

'Gloria,' zei hij.

'Rashid,' zei ze.

Er ging wat tijd voorbij. Toen haalde Rashid zijn schouders op. Zijn ogen leken op die van Salim, zag ik. Een soort dropjes. 'Veel plezier in de Big Apple,' zei hij. Zijn mondhoeken gingen een klein stukje omhoog. Hij wuifde met een hand.

'We zullen ons best doen, Rashid,' zei tante Gloria. 'Dag.'

'Dag.' Zijn hand viel langs zijn lichaam. Zijn schouders zakten omlaag. Toen draaide hij zich om en liep de straat uit. Mijn hoofd ging opzij terwijl ik hem nakeek en hij zich nog één keer omdraaide voordat hij om de hoek verdween.

Na Rashids vertrek wilde Salim met Kat en mij praten. Hij zat met een heleboel kussens op de bank. Zijn snorretje was weer aangegroeid, donkerder dan eerst. Ik herinnerde me wat hij had gezegd over gras en maaien. Hij wilde alles weten – hoe we het hadden ontdekt. Hij glimlachte bij elk stukje van het verhaal, vooral dat over de motorshow. Kat vertelde het meeste.

Toen ze aan het eind kwam, zei ze: 'Salim, ik moet het toegeven. Mijn rare broertje is een genie.'

Salim keek me aan. 'Elk genie is een beetje raar, Ted. Maar ik zou zo met je ruilen. Ik ben liever een raar genie dan een gewone stommeling.'

Kat en Salim lachten, en ik deed mee. Ik begreep dat ik nu vijf vrienden had in plaats van drie: mama, papa, meneer Shepherd, Kat en Salim. Dat vond ik fijn.

'Wat was het ergste toen je in dat gebouw zat opgesloten, Salim?' vroeg Kat.

Salim zakte achteruit in de kussens. 'Oef. Wil je het echt weten?'

'Ja,' zei Kat.

'De geluiden, geloof ik. De geluiden 's nachts. Dan lag ik op de matras en hoorde de wind huilen rond het gebouw. Onder me, boven me, overal. En dan begon het tikken en kreunen, raar gegorgel. Geluiden die ik niet begreep. Ik kon ze niet verklaren. Gescharrel – dieren die langs de muren kropen? Ratten? Kakkerlakken? En gefladder van vleugels – vleermuizen of vogels? Ik lag in het donker, trok mijn jack over mijn hoofd, verborg mijn oren onder mijn armen, maar ik hoorde het nog steeds. En dan landde er iets op mijn wang, heel licht. Ik ging rechtop zitten en krijste het uit...'

'Oké... oké,' zei Kat, die haar handen voor haar oren hield. 'Ik had het niet moeten vragen.'

'Het was niet allemáál naar,' zei Salim.

'Nee?'

'Overdag ging het wel. Ik keek naar het weer. Ik was dicht bij de wolken. Er was een onweersbui. Ik zag het bliksemen boven Londen, er kwamen donkere gordijnen van regen aandrijven en toen brak de zon door. Ik maakte foto's. Van gebouwen en de lucht. De ene helft van Londen was donker, de andere licht en zonnig. De rivier stroomde als een smalle zilveren lijn door allebei de helften, en op de grens stond het Eye, groot en wit. Ik heb het gefotografeerd, Kat. Het was de laatste opname van de wegwerpcamera. Maar het is de beste foto die ik ooit heb gemaakt.'

Die middag kregen Kat en ik nog één keer inspecteur Pearce op bezoek. Papa en mama zaten te luisteren terwijl Kat haar alles vertelde wat we hadden gedacht en gedaan. De mondhoeken van inspecteur Pearce krulden steeds verder omhoog.

Ze keek me aan. 'Goed gedacht,' zei ze.

En toen keek ze Kat aan en zei: 'Goed gedaan. Jullie zouden prima rechercheurs zijn.'

'Hm,' zei Kat aarzelend. 'Ik wil eigenlijk iets met mode doen.'

Ik vertelde inspecteur Pearce dat ik meteoroloog wilde worden.

'Jammer,' zuchtte ze. 'Mijn collega's vinden me een goede rechercheur. Dat moet wel als vrouw bij de politie. Maar jullie tweeën hebben me iets geleerd. Je kunt beter naar kinderen luisteren dan naar veel volwassenen. Zonder jullie tweeën zat Salim misschien nog opgesloten in dat flatgebouw. En nu zouden die betonvergruizers hun werk gedaan hebben. Ik moet er niet aan denken...' Ze schudde haar hoofd. 'We hebben overal gezocht. In heel Londen. En al die tijd was hij hier vlak om de hoek.'

'Ik begrijp niet hoe het mogelijk is dat Salim in het gebouw is opgesloten,' zei papa. 'Ik had een bewaker bij de ingang gezet. En ik heb alle verdiepingen één voor één gecontroleerd, om zeker te weten dat er niemand meer was.'

Een paar telefoontjes later wisten we hoe het was gebeurd. Salim zei dat hij toen hij langs de Barak liep, had gezien dat de deur in de dichtgetimmerde omheining op een kier stond. Dat werkte als een magneet. Hij dacht aan de vierentwintig verdiepingen, het uitzicht dat er binnenkort niet meer zou zijn, en zijn wegwerpcamera. Hij zou maar een paar minuten blijven, beloofde hij zichzelf. Hij glipte naar binnen. Er was niemand te zien. Hij vond de hoofdingang, en de deur naar het trappenhuis. Hij liep langzaam naar boven.

Ondertussen controleerde papa of elke verdieping echt leeg was en iedereen was vertrokken. Hij had zijn collega Jacky Winter als bewaker bij de deur in de omheining gezet, terwijl hij zelf met de trap omhoogging en de etages afwerkte tot hij helemaal boven was.

'Toen jij me belde, Faith, om te zeggen dat Salim werd vermist, was ik net op de vierentwintigste verdieping in de lege flat. Ik herinner me dat ik snel ben weggegaan en de deur van de flat niet op slot heb gedaan. Het gaf niet, want het gebouw was toch beneden afgesloten. Om tijd te winnen nam ik de lift naar beneden naar de hal. En ondertussen kwam Salim langs de trap naar boven, denk ik. Ik deed alle deuren op de begane grond op slot. Ik sloot het water en de elektriciteit af. Ik deed de hoofdingang op slot. Jacky stond bij de deur in de omheining, op de plek waar ik hem had achtergelaten. We deden een hangslot op de deur en vertrokken.'

Salim zei dat hij nergens een bewaker had gezien.

Toen papa het aan Jacky Winter vroeg, ontkende die eerst dat hij zijn post had verlaten. Maar toen gaf hij toe. Hij was even snel naar de kiosk aan de overkant van de straat gegaan. Hij was maar twee minuten weg geweest. Hij snakte naar een sigaret en zijn pakje was leeg. Daarom was hij nieuwe gaan kopen.

Dat kostte hem zijn baan.

41

Het laatste rondje

Twee dagen later brachten we Salim en tante Gloria naar het vliegveld. Salim glimlachte naar me en schudde mijn hand voordat ze door de paspoortcontrole gingen.

'Geniale neef van me,' zei hij, 'tot ziens in New York.'

Mama en tante Gloria omhelsden elkaar op hun gebruikelijke gênante manier.

Papa wilde tante Gloria op haar wang zoenen, maar miste en zoende de lucht.

Tante Gloria omhelsde Kat, en daarna mij, heftig en hard zoals altijd. Toen ik me probeerde los te trekken, pakte ze mijn pols vast.

'Hier, Ted,' zei ze. 'Gooi je die voor me weg? Ik heb ze niet meer nodig.' Ze drukte haar sigarettenkoker en haar sigarettenpijpje in mijn hand en wuifde met een hand voor haar gezicht alsof de gedachte aan roken haar tegenstond.

Toen glimlachte ze. Ik dacht eraan om terug te glimlachen. Nu had ik zes vrienden.

'Schiet op, mama,' zei Salim. 'Zo missen we het vliegtuig.' Hij trok aan haar mouw. Ze wuifden nog een keer. Salim keek over zijn schouder naar mij, terwijl de bewaker zijn paspoort controleerde. We keken elkaar recht aan, net als toen we elkaar voor het eerst ontmoetten. Hij knipoogde. Ik weet niet of ik het goed deed, maar ik kneep een van mijn ogen zo stijf mogelijk dicht.

Hun vliegtuig steeg op terwijl er een groot Atlantisch hoge-drukgebied boven Lundy en Fastnet lag. Daardoor hadden ze op hun vlucht mooi weer met matige wind.

Toen we thuiskwamen, zei papa dat hij het hele weekend in bed bleef. Maar hij deed het niet. Hij begon eieren klaar te maken en floot de muziek van *De Dikke en de Dunne*, alsof Or-kaan Gloria nooit was langsgekomen. 'Ik maak mijn speciale omelet, Faith,' zei hij. 'Die je zo lekker vond toen we elkaar pas kenden.'

Mama rolde met haar ogen en glimlachte tegelijk.

'Maar vind ík hem lekker?' vroeg Kat.

'Als mama hem lekker vindt, vind jij dat ook,' zei papa. 'Ted en ik weten waarom, hè Ted?'

'Hrumm,' zei ik.

'Mama en Kat lijken op elkaar als twee druppels water. Daar-om hebben ze altijd ruzie.'

Mama keek Kat aan.

Kat haalde haar schouders op. 'Zoals de waard is vertrouwt hij zijn gasten,' zei ze. Ze glimlachten allebei.

Na de omelet, die erg lekker was, vertelde mama dat tante Glo-ria en Rashid Kat en mij een cadeautje wilden geven voor wat we hadden gedaan. Kat bekende dat we de vijftig pond voor het Eye niet hadden teruggegeven, en gaf mama wat we nog over had-den. Mama lachte toen ze hoorde waaraan we het geld hadden besteed. Ze vond dat het niet meetelde. We mochten toch een cadeau hebben.

'Mogen we zelf kiezen?'

'Binnen redelijke grenzen.'

Ik koos een weerhorloge. Dat is een fantastische uitvinding. Het geeft natuurlijk de tijd aan, maar het heeft ook een heel goed kompas en nog andere standen. Als je op een knopje drukt, wordt het een minibarometer die de luchtdruk meet. Mijn weersvoorspellingen zijn er 31,5 procent nauwkeuriger door geworden.

Kat zei dat ze een scooter wilde.

Mama gilde: 'Doe niet zo raar, Kat. Je bent nog te jong.'

'Toe nou, mama, je zei...'

'Binnen redelijke grenzen, Kat.'

'Oké. Mag ik dan mijn haar laten knippen en verven bij Hair Flair?'

Daar was ze naartoe geweest voor advies, toen ze had gespijbeld. Mama zuchtte. 'Nou, vooruit dan maar. Hair Flair,' zei ze.

Toen Kat later die dag thuiskwam van de kapper, was haar bruine haar in verschillende lengtes geknipt, met een lange onregelmatige pony die telkens over haar ogen viel, en vuilblonde strepen zoals regen maakt die langs een ruit omlaag stroomt. Ik vroeg me af hoe ze kon zien waar ze liep. Mama's mond ging open, maar er kwam geen geluid uit. Papa keek op van achter zijn krant en dook snel weer weg. De krant trilde.

'Vinden jullie het niet mooi?' vroeg Kat met een hoge uithaal.

Mijn hoofd draaide opzij. 'Kat,' zei ik.

'Wat?'

Ik had kunnen zeggen dat ze eruitzag als een schapendoes die was vergeten hoe hij moest blaffen. Maar dat deed ik niet. 'Het is een cool kapsel, Kat,' zei ik.

Ze glimlachte naar me tussen de slierten van haar pony door.

Mijn derde leugen. Ik schreef hem op in mijn nieuwe zilveren map die ik Mijn Leugens noem. Hij ligt in de la van mijn bureau en er staat nog niet veel in.

De Barak werd volgens plan gesloopt. Onze buurt zag er eerst raar uit, alsof er een reus naar een andere planeet was gestraald zodat er een lege hemel achterbleef. Maar toen zag ik het. Er is een heel nieuw uitzicht. Als je onze straat uitloopt, vlak voordat je de hoofdstraat inslaat, zie je heel even de helft van het Eye. Je moet jezelf bijna in je arm knijpen. Het is onwezenlijk, net als in Kats droom. Het Eye beweegt zo langzaam dat je het bijna niet ziet. De cabines van glas en staal glinsteren. De witte spaken trillen in het felle zonlicht. En altijd hangt daar in het midden Salims schim die naar ons zwaait, net als die dag. Salim of niet Salim. Super Salim. Het is alsof het moment waarop hij instapte, 11.32 uur 's ochtends op 24 mei, voor altijd ergens in mijn hoofd zweeft.

Woord van dank

Graag zou ik de volgende mensen hartelijk willen bedanken – zonder hun aanmoedigingen had ik dit boek niet kunnen schrijven: Marie Conan, Fiona Dunbar, Oona Emerson, Geoff Morgan en mijn nichtjes Sophie Theis en Siobhan Emerson, die belangrijk commentaar hebben geleverd op delen van de plot. Mijn dank gaat ook uit naar Hilary Delamere, die drie rondjes heeft gemaakt in dit London Eye. Ik ben Sophie Nelson veel dank verschuldigd voor het persklaarmaken, en zoals altijd ook het bijzondere uitgeverskwartet Annie Eaton, David Fickling, Kelly Hurst en Bella Pearson.